수학의

샘

Spring of mathematics

워크북

예제 · 유제편

수학 Ⅰ

차례

※ 집필 및 연구 : 아샘수학연구소 편집 및 디자인 : 김세리

01 지수

1. **거듭제곱과 거듭제곱근**
   ① 거듭제곱
   ② 거듭제곱근
   ③ a의 n제곱근
   ④ 거듭제곱근의 성질

2. **지수의 확장**
   ① 지수가 정수인 경우
   ② 지수가 유리수인 경우
   ③ 지수가 실수인 경우

핵심
Point

1. 거듭제곱근

n제곱하여 실수 a가 되는 수, 즉 $x^n = a$를 만족시키는 수 x를 a의 n제곱근이라고 한다. 이때, a의 제곱근, 세제곱근, 네제곱근, …을 통틀어 a의 거듭제곱근이라고 한다.

2. a의 n제곱근(실수 범위)

n \ a	$a>0$	$a=0$	$a<0$
n이 홀수	$\sqrt[n]{a}$	0	$\sqrt[n]{a}$
n이 짝수	$\sqrt[n]{a},\ -\sqrt[n]{a}$	0	없다.

3. 거듭제곱근의 성질

$a>0$, $b>0$이고, m, n이 2 이상의 자연수일 때,

(1) $\sqrt[n]{a}\,\sqrt[n]{b}=\sqrt[n]{ab}$

(2) $\dfrac{\sqrt[n]{a}}{\sqrt[n]{b}}=\sqrt[n]{\dfrac{a}{b}}$

(3) $(\sqrt[n]{a})^m=\sqrt[n]{a^m}$

(4) $\sqrt[m]{\sqrt[n]{a}}=\sqrt[mn]{a}=\sqrt[n]{\sqrt[m]{a}}$

(5) $\sqrt[np]{a^{mp}}=\sqrt[n]{a^m}$ (단, p는 양의 정수)

4. 지수의 확장

(1) $a \neq 0$이고, n이 양의 정수일 때,

① $a^0=1$

② $a^{-n}=\dfrac{1}{a^n}$

(2) $a>0$이고, m이 정수, n이 양의 정수일 때,

① $a^{\frac{1}{n}}=\sqrt[n]{a}$

② $a^{\frac{m}{n}}=\sqrt[n]{a^m}$

5. 지수법칙

$a>0$, $b>0$이고, x, y가 실수일 때,

(1) $a^x a^y=a^{x+y}$

(2) $a^x \div a^y=a^{x-y}$

(3) $(a^x)^y=a^{xy}$

(4) $(ab)^x=a^x b^x$

아름다운샘

1 거듭제곱과 거듭제곱근

핵심 Note

보기에서 옳은 것만을 있는 대로 고르시오.

○ △ X

┤ 보기 ├

ㄱ. 25의 제곱근은 2개이다.

ㄴ. 81의 네제곱근 중 실수인 것은 3뿐이다.

ㄷ. −8의 세제곱근 중 실수인 것은 없다.

ㄹ. 2는 16의 네제곱근 중 하나이다.

보기에서 옳은 것만을 있는 대로 고르시오.   ○ △ X

┤ 보기 ├

ㄱ. 제곱근 16은 4이다.

ㄴ. 8의 세제곱근 중 실수인 것은 2뿐이다.

ㄷ. $\sqrt[4]{81}$은 81의 네제곱근 중 하나이다.

ㄹ. $\sqrt[4]{-16}$은 -16의 네제곱근 중 양수인 것이다.

필수 예제 2

다음 식을 간단히 하시오.

(1) $\sqrt[3]{64}+\sqrt[5]{-243}$ ○ △ X

(2) $\sqrt[3]{2}\times\sqrt[6]{16}$ ○ △ X

(3) $\sqrt[3]{6} \times \sqrt[3]{4} \div \sqrt[3]{\sqrt{16}}$　　　　　○ △ X

(4) $\sqrt{2-\sqrt{4-\sqrt{3}}} \times \sqrt{2+\sqrt{4-\sqrt{3}}}$　　　　　○ △ X

유제 1-2

다음 식을 간단히 하시오.

(1) $\sqrt[5]{-32} + \sqrt[4]{81} - \sqrt[3]{-64}$　　　　　○ △ X

(2) $\sqrt[4]{\sqrt[3]{81}} \times \dfrac{\sqrt[3]{4}}{\sqrt[6]{9}}$　　　　　○ △ X

(3) $(\sqrt[3]{2})^6 \div \sqrt[4]{\sqrt{16^2}} - \sqrt[3]{\sqrt{64}}$ ○ △ X

(4) $(\sqrt[3]{2}+\sqrt[3]{3})(\sqrt[3]{4}-\sqrt[3]{6}+\sqrt[3]{9})$ ○ △ X

필수 예제 3

다음 식을 간단히 하시오. (단, $a>0$)

(1) $\sqrt[3]{a^2} \times \sqrt[5]{a}$ ○ △ X

(2) $\sqrt{\dfrac{\sqrt[3]{a}}{\sqrt[3]{a^2}}} \times \sqrt[3]{\dfrac{\sqrt{a^2}}{\sqrt[4]{a^2}}}$ ○ △ X

아름다운샘

유제 1-3

다음 식을 간단히 하시오. (단, $a>0$, $b>0$)

(1) $\sqrt[4]{4ab^2} \times \sqrt[12]{a^5b^4} \div \sqrt[6]{8a^3b}$ ○ △ X

(2) $\sqrt[3]{\dfrac{\sqrt{b}}{\sqrt[4]{a}}} \times \sqrt{\dfrac{\sqrt[6]{a}}{\sqrt[3]{b}}}$ ○ △ X

유제 1-4

$x>0$일 때, $\sqrt[3]{\dfrac{\sqrt[4]{\sqrt{x}}}{\sqrt[4]{x}}} \times \sqrt[6]{\dfrac{\sqrt{x^4}}{\sqrt[4]{x}}} \times \sqrt[4]{\dfrac{\sqrt[3]{x\sqrt{x^6}}}{\sqrt[3]{x}}}$ 을 간단히 하시오. ○ △ X

아름다운샘

핵심 Note

필수 예제 4

다음 식을 간단히 하시오.

(1) $2^{\frac{1}{2}} \times \sqrt{8}$　　〇 △ X

(2) $6^{\frac{2}{3}} \times 2^{-\frac{2}{3}} \div \sqrt[6]{3}$　　〇 △ X

아름다운샘

(3) $\left\{ (-5)^2 \right\}^{\frac{3}{2}}$ ⟨ O △ X ⟩

다음 식을 간단히 하시오.

(1) $\dfrac{\sqrt{32}}{\sqrt[4]{4}} \times 64^{-\frac{1}{6}}$ ⟨ O △ X ⟩

(4) $2^{2+\sqrt{2}} \div 2^{\sqrt{2}-1}$ ⟨ O △ X ⟩

(2) $10^{\frac{2}{3}} \div 5^{\frac{1}{6}} \times \sqrt[3]{16}$ ⟨ O △ X ⟩

(3) $\left\{\left(\dfrac{16}{9}\right)^{-\frac{2}{3}}\right\}^{\frac{9}{4}}$ （ O △ X ）

(4) $\left(2^{\sqrt{2}} \div 3^{\sqrt{6}}\right)^{\sqrt{2}} \times 9^{\sqrt{3}}$ （ O △ X ）

（ O △ X ）

$\sqrt{\left(\sqrt{3^{\sqrt{3}}}\right)^{\sqrt{3}}} = 3^{k}$일 때, 상수 k의 값을 구하시오.

다음 식을 간단히 하시오. (단, $a > 0$)

(1) $\left(a^{\frac{3}{2}} \times a^{\frac{1}{6}}\right)^{\frac{3}{5}}$

(2) $\sqrt[4]{a\sqrt[3]{a}}$

(3) $\sqrt[3]{\dfrac{\sqrt{a}}{\sqrt[3]{a}} \times a}$

(4) $a^{\sqrt{2}} \times a^{\sqrt{8}} \div a^{4\sqrt{2}}$

유제 1-7

다음 식을 간단히 하시오. (단, $a>0$, $b>0$)

(1) $a^{\frac{3}{2}} \times a^{\frac{1}{6}} \div a^{-\frac{1}{3}}$

$\boxed{\text{O} \ \triangle \ \text{X}}$

(2) $\sqrt{a \times \sqrt[3]{a \times \sqrt[4]{a^3}}}$

$\boxed{\text{O} \ \triangle \ \text{X}}$

(3) $\sqrt{a^4 b} \times \sqrt[6]{a^2 b^3} \div (a^7 b^3)^{\frac{1}{3}}$

$\boxed{\text{O} \ \triangle \ \text{X}}$

(4) $(a^{\sqrt{3}-1} \times b^{\sqrt{3}+1})^{\sqrt{3}+1} \div (ab^2)^2$

$\boxed{\text{O} \ \triangle \ \text{X}}$

필수 예제 6

다음 세 수의 크기를 비교하시오. (O △ X)

$$\sqrt[3]{3} \qquad \sqrt[4]{4} \qquad \sqrt[12]{12}$$

유제 1-**8**

다음 세 수의 크기를 비교하시오.

(1) $\sqrt{\dfrac{1}{2}}$, $2^{-\frac{1}{3}}$, $\left(\dfrac{1}{4}\right)^{\frac{1}{2}}$ (O △ X)

(2) $\sqrt[3]{5}$, $\sqrt[4]{10}$, $\sqrt[6]{20}$ (O △ X)

세 수 $A=\sqrt[6]{6\sqrt{6}}$, $B=\sqrt{2\sqrt{2}}$, $C=\sqrt[3]{3\sqrt{3}}$의 크기를 비교하시오.

○ △ X

필수 예제 7

다음 식을 간단히 하시오. (단, $a>0$, $b>0$)

(1) $\left(a^{\frac{1}{2}}+1\right)\left(a^{\frac{1}{2}}-1\right)$

○ △ X

(2) $(a-b^{-1})\div\left(a^{\frac{1}{3}}-b^{-\frac{1}{3}}\right)$

○ △ X

아름다운샘

유제 1-**10**

다음 식을 간단히 하시오. (단, $a > 0$, $b > 0$)

(1) $(a - a^{-1}) \div (a^{\frac{1}{2}} - a^{-\frac{1}{2}})$

$\boxed{\text{O} \ \triangle \ \text{X}}$

(2) $(a^{\frac{1}{3}} + b^{\frac{1}{3}})(a^{\frac{2}{3}} - a^{\frac{1}{3}}b^{\frac{1}{3}} + b^{\frac{2}{3}})$

$\boxed{\text{O} \ \triangle \ \text{X}}$

유제 1-**11**

$a = 3$일 때, $(a^{\frac{1}{3}} + a^{-\frac{2}{3}})^3 + (a^{\frac{1}{3}} - a^{-\frac{2}{3}})^3$의 값을 구하시오.

$\boxed{\text{O} \ \triangle \ \text{X}}$

$a>1$이고 $a+a^{-1}=3$일 때, 다음 식의 값을 구하시오.

(1) a^2+a^{-2}　　　　　〇 △ X

(2) $a^{\frac{1}{2}}-a^{-\frac{1}{2}}$　　　　　〇 △ X

(3) a^3+a^{-3}　　　　　〇 △ X

$x>1$이고 $x^{\frac{1}{2}}+x^{-\frac{1}{2}}=2\sqrt{2}$일 때, 다음 식의 값을 구하시오.

(1) $x+x^{-1}$

(O △ X)

(2) $x-x^{-1}$

(O △ X)

(3) $x^{\frac{3}{2}}+x^{-\frac{3}{2}}$

(O △ X)

$a^{2x}=2$일 때, 다음 식의 값을 구하시오. (단, $a>1$)

(1) $\dfrac{a^x+a^{-x}}{a^x-a^{-x}}$

○ △ X

(2) $\dfrac{a^{3x}-a^{-3x}}{a^x+a^{-x}}$

○ △ X

$2a^{2x}=1$일 때, 다음 식의 값을 구하시오. (단, $a>1$)

(1) $\dfrac{a^{3x}+2a^x}{4a^x-a^{-x}}$

○ △ X

(2) $\dfrac{a^{3x}+a^{-3x}}{a^x+a^{-x}}$

○ △ X

$\dfrac{3^x+3^{-x}}{3^x-3^{-x}}=3$일 때, 9^x+9^{-x}의 값을 구하시오.　　○ △ X

발전 예제 10

다음 물음에 답하시오.

(1) $63^x=9$, $7^y=81$일 때, $\dfrac{2}{x}-\dfrac{4}{y}$의 값을 구하시오.　　○ △ X

(2) $3^x=4^y=12^z$일 때, $\dfrac{1}{x}+\dfrac{1}{y}-\dfrac{1}{z}$의 값을 구하시오. (단, $xyz\neq0$)　　○ △ X

$2^x=3^y=216$일 때, $\dfrac{1}{x}+\dfrac{1}{y}$ 의 값을 구하시오.

$\boxed{\text{O } \triangle \text{ X}}$

세 양수 x, y, z에 대하여

$$\sqrt{2^x}=9^y=125^z=k, \quad \dfrac{2}{x}+\dfrac{3}{2y}+\dfrac{1}{3z}=1$$

일 때, 양수 k의 값을 구하시오.

$\boxed{\text{O } \triangle \text{ X}}$

수가 2배로 늘어나는데 t시간이 걸리는 어떤 바이러스 한 마리가 8시간 후에 8마리로 늘어
난다고 할 때, 한 마리의 바이러스가 16시간 경과하면 몇 마리가 되는지 구하시오.

○ △ X

일정한 비율로 증식하는 A, B 두 종류의 박테리아가 있다. 박테리아가 증식하기 전 박테리
아 A는 2마리, 박테리아 B는 8마리이었다. 박테리아 A는 4분마다 4배, 박테리아 B는 3분
마다 2배로 증가할 때, 36분 후 박테리아 A의 수는 박테리아 B의 수의 몇 배인지 구하시오.

○ △ X

양수기로 물을 끌어올릴 때, 펌프의 1분당 회전수 N, 양수량 Q, 높이 H와 양수기의 비교회전도 S 사이에 다음과 같은 관계가 있다.

$$S = NQ^{\frac{1}{2}}H^{-\frac{3}{4}} \text{ (단, } N,\ Q,\ H \text{의 단위는 각각 rpm, } \mathrm{m^3}/\text{분, m이다.)}$$

펌프의 1분당 회전수가 일정한 양수기에 대하여 양수량이 24, 양수할 높이가 5일 때의 비교회전도를 S_1, 양수량이 12, 양수할 높이가 10일 때의 비교회전도를 S_2라 하자. $\dfrac{S_1}{S_2}$ 의 값을 구하시오.

○ △ X

조개류는 현탁물을 여과한다. 수온이 $t(\text{℃})$이고 개체중량이 $w(\mathrm{g})$일 때, A조개와 B조개가 1시간 동안 여과하는 양 (L)을 각각 Q_A, Q_B라 하면 다음과 같은 관계식이 성립한다고 한다.

$$Q_\mathrm{A} = 0.01t^{1.25}w^{0.25}, \quad Q_\mathrm{B} = 0.05t^{0.75}w^{0.30}$$

수온이 20℃이고 A조개와 B조개의 개체중량이 각각 8g일 때, $\dfrac{Q_\mathrm{A}}{Q_\mathrm{B}}$ 의 값은 $2^a \times 5^b$이다. $a+b$의 값을 구하시오. (단, $a,\ b$는 유리수이다.)

○ △ X

O2 로그

1. 로그의 뜻
① 로그의 뜻

2. 로그의 성질
① 로그의 성질
② 로그의 밑의 변환
③ 로그의 여러 가지 성질

핵심 Point

1. 로그의 정의

$a>0$, $a\neq1$, $N>0$일 때,

$$a^x=N \iff x=\log_a N$$

2. 로그의 성질

$a>0$, $a\neq1$이고 $M>0$, $N>0$일 때,

(1) $\log_a 1=0$, $\log_a a=1$

(2) $\log_a MN=\log_a M+\log_a N$

(3) $\log_a \dfrac{M}{N}=\log_a M-\log_a N$

(4) $\log_a M^k=k\log_a M$ (단, k는 실수)

3. 로그의 밑의 변환 공식

a, b, c가 양수일 때,

(1) $\log_a b=\dfrac{\log_c b}{\log_c a}$ (단, $a\neq1$, $c\neq1$)

(2) $\log_a b=\dfrac{1}{\log_b a}$ (단, $a\neq1$, $b\neq1$)

4. 로그의 여러 가지 성질

a, b, c가 양수이고, $a\neq1$, $c\neq1$일 때,

(1) $\log_{a^m} b^n=\dfrac{n}{m}\log_a b$, $\log_{a^m} b=\dfrac{1}{m}\log_a b$

(2) $a^{\log_c b}=b^{\log_c a}$, $a^{\log_a b}=b$

(3) $\log_a b\times\log_b a=1$ (단, $b\neq1$)

(4) $\log_a b\times\log_b c\times\log_c a=1$ (단, $b\neq1$)

아름다운샘

1 로그의 뜻

다음 등식을 만족시키는 x의 값을 구하시오.

(1) $\log_{\sqrt{2}} x = 6$

　○ △ X

(2) $\log_x 4 = \dfrac{2}{3}$

　○ △ X

아름다운샘

(3) $3^{\log_3 2} = x$　　

유제 2-**1**

다음 등식을 만족시키는 x의 값을 구하시오.

(1) $\log_{\sqrt{3}} x = -6$

(4) $\log_3 (\log_{27} x) = -1$　　

(2) $\log_x 64 = 12$

(3) $13^{\log_{13} 7} = x$

O △ X

(4) $\log_2 (\log_x 25) = 2$

O △ X

유제 2-2

O △ X

$x = \log_5 81$일 때, $5^{\frac{x}{4}}$의 값을 구하시오.

아름다운샘

필수 예제 2

다음 로그가 정의되도록 하는 x의 값의 범위를 구하시오.

(1) $\log_3 (x^2 - 4x - 5)$ ⟨ O △ X ⟩

(2) $\log_{x-1} (-2x + 6)$ ⟨ O △ X ⟩

유제 2-3

다음 로그가 정의되도록 하는 x의 값의 범위를 구하시오.

(1) $\log_{\frac{1}{2}} (2x^2 - 3x + 1)$ ⟨ O △ X ⟩

(2) $\log_{x-2} (-x^2 + 7x - 10)$ ⟨ O △ X ⟩

핵심 Note

필수 예제 3

다음 식을 간단히 하시오.

(1) $\dfrac{1}{2}\log_4 8 + \log_4 \sqrt{2}$ ○ △ ✕

(2) $\dfrac{1}{2}\log_2 14 - \log_2 \sqrt{7}$ ○ △ ✕

(3) $\log_3 2 - 2\log_3 6 + 2\log_3 \sqrt{18}$ ◯ △ ✕

(4) $2\log_2 \sqrt{3} + \dfrac{1}{2}\log_2 \sqrt{2} + \log_2 \dfrac{\sqrt{2}}{3}$ ◯ △ ✕

유제 2-4

다음 식을 간단히 하시오.

(1) $\log_3 \dfrac{27}{5} + \dfrac{1}{2}\log_3 \dfrac{25}{9}$ ◯ △ ✕

(2) $4\log_2 \sqrt{3} + \dfrac{1}{2}\log_2 25 - \log_2 45$ ◯ △ ✕

$\log_{10}2+\log_{10}\left(1+\dfrac{1}{2}\right)+\log_{10}\left(1+\dfrac{1}{3}\right)+\cdots+\log_{10}\left(1+\dfrac{1}{99}\right)$의 값을 구하시오.

(○ △ X)

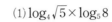 **필수 예제 4**

다음 식을 간단히 하시오.

(1) $\log_4\sqrt{5}\times\log_5 8$

(○ △ X)

(2) $\log_2 25\times\log_5\sqrt{3}\times(\log_3 2+\log_3 4)$

(○ △ X)

다음 식을 간단히 하시오.

(1) $(\log_2 9 + \log_2 3)(\log_3 8 + \log_3 4)$

◯ △ X

(2) $\dfrac{\log_3 5 \times \log_5 6 \times \log_7 81}{\log_7 2 + \log_7 3}$

◯ △ X

◯ △ X

$\dfrac{1}{\log_2 x} + \dfrac{1}{\log_6 x} + \dfrac{1}{\log_{12} x} = 2$일 때, 양수 x의 값을 구하시오.

필수 예제 5

다음 식을 간단히 하시오.

(1) $(\log_2 3 + \log_8 27)(\log_{81} 2 + \log_9 8)$ 〔 ○ △ X 〕

(2) $8^{\log_2 3} \times 25^{\log_5 3}$ 〔 ○ △ X 〕

(3) $9^{\log_3 2 + \log_3 5}$ 〔 ○ △ X 〕

(4) $2^{4\log_2 \sqrt{7} - \log_2 63 + \log_2 9}$ 〔 ○ △ X 〕

다음 식을 간단히 하시오.

(1) $\left(\log_{\sqrt{2}} 7 + \log_8 \dfrac{1}{7}\right)\left(\log_{49} \dfrac{1}{2} + \log_7 4\right)$

O △ X

(2) $2\log_9 3 \times (\sqrt{3})^{\log_3 4}$

O △ X

(3) $8^{\log_2 15 - \log_4 9}$

O △ X

(4) $3^{2\log_3 \sqrt{10} + \log_3 4 - \log_{27} 125}$

O △ X

필수 예제 6

$\log_2 3 = a$, $\log_2 5 = b$일 때, 다음을 a, b로 나타내시오.

(1) $\log_2 240$ ◯ △ X

(2) $\log_5 12$ ◯ △ X

(3) $\log_3 \sqrt{10}$ ◯ △ X

$\log_2 3 = a$, $\log_3 5 = b$일 때, 다음을 a, b로 나타내시오.

(1) $\log_3 20$ ○ △ X

(2) $\log_{12} 60$ ○ △ X

○ △ X

$a = \log_6 3$일 때, $\log_2 18$을 a로 나타내시오.

필수 예제 7

이차방정식 $x^2 - 4x + 2 = 0$의 두 근을 $\log_2 a$, $\log_2 b$라 할 때, $\log_a b + \log_b a$의 값을 구하시오. ◯ △ ✕

유제 2-11

이차방정식 $x^2 - 3x + 5 = 0$의 두 근을 α, β라 할 때, 다음 식의 값을 구하시오. ◯ △ ✕

$$\log_{\alpha+\beta}(\alpha+1) + \log_{\alpha+\beta}(\beta+1)$$

이차방정식 $x^2-5x-2=0$의 두 근을 $\log_3 a$, $\log_3 b$라 할 때, $\log_{\sqrt{a}} b + \log_{\sqrt{b}} a$의 값을 구하시오.

$\boxed{\text{O}\ \triangle\ \text{X}}$

$\log_3 26$의 정수 부분을 a, 소수 부분을 b라 할 때, $9(2^a+3^b)$의 값을 구하시오.

$\boxed{\text{O}\ \triangle\ \text{X}}$

$\log_2 17$의 소수 부분을 α라 할 때, $2^{\alpha+4}$의 값을 구하시오.

◯ △ X

정수 n과 소수 α에 대하여 $\log_5 7 = n + \alpha$라 할 때, $\dfrac{5^{-n}+5^{-\alpha}}{5^n+5^\alpha}$의 값을 구하시오.

◯ △ X

아름다운샘

다음 물음에 답하시오.

(1) $12^x=8$, $24^y=16$일 때, $\dfrac{3}{x}-\dfrac{4}{y}$의 값을 구하시오. ○ △ X

(2) $3^x=2^y=\sqrt{6^z}$일 때, $\dfrac{1}{x}+\dfrac{1}{y}-\dfrac{2}{z}$의 값을 구하시오. (단, $xyz\neq 0$) ○ △ X

○ △ X

$10^x=5$, $5^y=8$일 때, xy의 값을 구하시오.

아름다운 샘

$2^x = 7^y = 14^z$일 때, $\dfrac{1}{x} + \dfrac{1}{y} - \dfrac{1}{z}$의 값을 구하시오. (단, $xyz \neq 0$)

◯ △ ✕

발전 예제 10

통신이론에서 신호의 주파수 대역폭이 $B\,(\mathrm{Hz})$이고 신호잡음전력비가 x일 때, 전송할 수 있는 신호의 최대 전송 속도 $C\,(\mathrm{bps})$는 다음과 같이 계산된다고 한다.

$$C = B \times \log_2 (1 + x)$$

신호의 주파수 대역폭이 일정할 때, 신호잡음전력비를 a에서 $33a$로 높였더니 신호의 최대 전송 속도가 2배가 되었다. 양수 a의 값을 구하시오.

(단, 신호잡음전력비는 잡음전력에 대한 신호전력의 비이다.) ◯ △ ✕

어떤 호수에서 수면에서의 빛의 세기가 I_0일 때, 수심이 $d\ \mathrm{m}$인 곳에서의 빛의 세기 I_d는 다음과 같이 나타내어진다고 한다.

$$I_d = I_0 \times 2^{-0.25d}$$

이 호수에서 빛의 세기가 수면에서의 빛의 세기의 25 %인 곳의 수심을 구하시오.

○ △ X

아름다운샘

03 상용로그

1. 상용로그
① 상용로그의 뜻
② 상용로그의 계산
③ 상용로그의 정수 부분과 소수 부분

2. 상용로그의 성질
① 상용로그의 성질
② 상용로그의 정수 부분과 소수 부분의
성질

핵심 Point

1. 상용로그의 정의

10을 밑으로 하는 로그를 상용로그라고 한다.

$$\log_{10} N \Longleftrightarrow \log N \ (단, N>0)$$

2. 상용로그의 계산

양수 N에 대하여

$$N=a\times 10^n \ (단, 1\le a<10, n은 정수)$$

$$\Rightarrow \log N=n+\log a$$

3. 상용로그의 정수 부분과 소수 부분

임의의 양수 N에 대하여

$$\log N=n+a \ (n은 정수, 0\le a<1)$$

로 나타낼 때, n을 $\log N$의 정수 부분, a를 $\log N$의 소수 부분이라고 한다.

4. 상용로그의 성질 (1)

양수 N에 대하여 $\log N=n+\log a \ (n은 정수, 0\le \log a<1)$이면

(1) $N>1$일 때 ➡ 진수 N은 정수 부분이 $(n+1)$자리인 수이다.

(2) $0<N<1$일 때 ➡ 진수 N은 소수점 아래 $|n|$째 자리에서 처음으로 0이 아닌 숫자가 나온다.

5. 상용로그의 성질 (2)

두 양수 M, N에 대하여

$$\log M=m+\log a, \ \log N=n+\log a \ (m, n은 정수, 0\le \log a<1)$$

이면 두 진수 M, N의 숫자의 배열은 같다.

6. 상용로그의 정수 부분과 소수 부분의 성질

(1) 정수 부분의 성질

① 정수 부분이 n자리인 수의 상용로그의 정수 부분은 $(n-1)$이다.

② 소수점 아래 n째 자리에서 처음으로 0이 아닌 숫자가 나타나는 수의 상용로그의 정수 부분은 $-n$이다.

(2) 소수 부분의 성질

숫자의 배열이 같고 소수점의 위치만 다른 수들의 싱용로그의 소수 부분은 모두 같다.

핵심 Note

필수 예제 1

$\log 4.12 = 0.6149$, $\log 3.14 = 0.4969$일 때, 다음 식의 값을 구하시오.

(1) $\log 4120 + \log 0.0314$ ○ △ X

(2) $\log 0.00412 - \log 314000$ ○ △ X

$\log 3.22 = 0.5079$, $\log 5.43 = 0.7348$일 때, 다음 식의 값을 구하시오.

(1) $\log 32200 + \log 0.543$

(2) $\log 0.000322 - \log 543$

(3) $\log 322^2 + \log \sqrt{543}$

$\log 4250 = n + 0.6284$일 때, $\log x = n - 4 + 0.6284$를 만족시키는 정수 n과 실수 x에 대하여 $n + x$의 값을 구하시오. (O △ X)

필수 예제 2

$\log 2 = 0.3010$, $\log 3 = 0.4771$일 때, 다음 상용로그의 값을 구하시오.

(1) $\log 12$ (O △ X)

(2) $\log \dfrac{1}{6}$ (O △ X)

(3) $\log 45$

◯ △ ✕

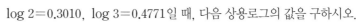

유제 3-**3**

$\log 2 = 0.3010$, $\log 3 = 0.4771$일 때, 다음 상용로그의 값을 구하시오.

(1) $\log 54$

◯ △ ✕

(2) $\log \dfrac{8}{15}$

◯ △ ✕

아름다운샘

(3) $\log \sqrt{5}$

(O △ X)

유제 3-4

$\log 2 = a$, $\log 3 = b$일 때, 다음을 a, b로 나타내시오.

(1) $\log_6 8$

(O △ X)

(2) $\log_5 \dfrac{36}{5}$

(O △ X)

$\log x = -1.2798$일 때, $\log x^3 + \log \sqrt{x}$의 정수 부분을 n, 소수 부분을 α라 하자. 이때, $n - \alpha$의 값을 구하시오.

○ △ X

$\log x$의 정수 부분을 $f(x)$라 할 때, $\dfrac{f(11) + f(101) + f(201)}{f(301) + f(4001)}$의 값을 구하시오.

○ △ X

아름다운 샘

양수 A에 대하여 $\log A$의 정수 부분이 3이고 소수 부분이 α일 때, $\log \dfrac{1}{\sqrt{A}}$의 소수 부분을 구하시오. (단, $\alpha \neq 0$)

필수 예제 4

$\log N = n + \alpha$ (n은 정수, $0 \leq \alpha < 1$)라 할 때, n과 α는 이차방정식 $2x^2 - 5x + k = 0$의 두 근이다. 두 상수 N과 k의 값을 구하시오.

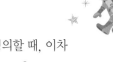

유제 3-7

$\log N = n + a$ (n은 정수, $0 \le a < 1$)라 할 때, n과 a가 이차방정식 $2x^2 + 7x + k = 0$의 두 근이 되도록 하는 상수 k의 값을 구하시오.

（ ○ △ X ）

유제 3-8

$\log N = f(N) + g(N)$ ($f(N)$은 정수, $0 \le g(N) < 1$)으로 정의할 때, 이차 방정식 $x^2 - ax + b = 0$의 두 근은 $f(z)$, $g(z)$이고, 또 $x^2 + ax + b - \dfrac{3}{2} = 0$의 두 근은 $f\left(\dfrac{1}{z}\right)$, $g\left(\dfrac{1}{z}\right)$이다. 이때, 두 상수 a, b에 대하여 $a + b$의 값을 구하시오.

(단, $b \ne 0$)

（ ○ △ X ）

핵심 Note

$\log 385 = 2.5855$일 때, 다음 등식을 만족시키는 x의 값을 구하시오.

(1) $\log 38.5 = x$ ○ △ X

(2) $\log x = -2.4145$ ○ △ X

$\log 5.16 = 0.7126$일 때, 다음 등식을 만족시키는 x의 값을 구하시오.

(1) $\log 516 = x$ ○ △ X

(3) $\log x = 3.7126$ ○ △ X

(4) $\log x = -1.2874$ ○ △ X

(2) $\log 0.000516 = x$ ○ △ X

필수 예제 6

$\log 2 = 0.3010$, $\log 3 = 0.4771$일 때, 다음 물음에 답하시오.

(1) 2^{50}은 몇 자리 정수인지 구하시오. (O △ X)

(2) $2^{20} \times 3^{10}$은 몇 자리 정수인지 구하시오. (O △ X)

$\log 2 = 0.3010$, $\log 3 = 0.4771$일 때, 다음 물음에 답하시오.

(1) 3^{30}은 몇 자리 정수인지 구하시오. (O △ X)

(2) $3^{20} \times 5^{30}$은 몇 자리 정수인지 구하시오. (O △ X)

3^{10}의 최고 자리의 숫자를 구하시오. (단, $\log 2 = 0.3010$, $\log 3 = 0.4771$로 계산한다.)

(O △ X)

$\log 2 = 0.3010$일 때, $\left(\dfrac{1}{2}\right)^{30}$은 소수점 아래 몇 째 자리에서 처음으로 0이 아닌 숫자가 나타나는지 구하시오.

(O △ X)

아름다운샘

$\log 3 = 0.4771$일 때, $\left(\dfrac{3}{10}\right)^{10}$은 소수점 아래 몇 째 자리에서 처음으로 0이 아닌 숫자가

나타나는지 구하시오.   (O △ X)

자연수 a에 대하여 a^{10}이 88자리의 수일 때, $\dfrac{1}{a}$은 소수점 아래 몇 째 자리에서 처음으로 0이

아닌 숫자가 나타나는지 구하시오.   (O △ X)

다음을 구하시오.

(1) $100 \le x < 1000$이고 $\log x$의 소수 부분과 $\log x^3$의 소수 부분이 같을 때, 모든 x의 값

O △ X

(2) $10^7 \le x < 10^8$이고 $\log x$의 소수 부분과 $\log \sqrt{x}$의 소수 부분의 합이 1일 때, $\log x$의 소수 부분의 값

O △ X

유제 3-14

$1000 \le x < 10000$이고, $\log x^2$의 소수 부분과 $\log \dfrac{1}{x}$의 소수 부분이 같을 때, x의 값을 모두 구하시오.

O △ X

$3 \leq \log x < 4$이고, $\log x$의 소수 부분과 $\log \sqrt[3]{x}$의 소수 부분의 합이 1이다. $\log \sqrt{x}$의 정수 부분을 p, 소수 부분을 q라 할 때, pq의 값을 구하시오. (○ △ X)

상용로그의 정수 부분이 3인 자연수의 개수를 x, 역수의 상용로그의 정수 부분이 -2인 자연수의 개수를 y라 할 때, $\dfrac{x}{y}$의 값을 구하시오. (○ △ X)

상용로그의 정수 부분이 5인 자연수의 개수를 x, 역수의 상용로그의 정수 부분이 -3인 자연수의 개수를 y라 할 때, $\log x - \log y$의 값을 구하시오. ⟨ ○ △ X ⟩

두 양수 x, y $(x<y)$에 대하여 $y-x$, xy의 상용로그의 정수 부분이 각각 5, 4일 때, $\dfrac{1}{x} - \dfrac{1}{y}$의 값의 범위에 있는 모든 자연수의 개수를 구하시오. ⟨ ○ △ X ⟩

발전 예제 10

화재가 발생한 화재실의 온도는 시간에 따라 변한다. 어떤 화재실의 초기 온도를 $T_0(℃)$, 화재가 발생한 지 t분 후 온도를 $T(℃)$라 할 때, 다음 식이 성립한다고 한다.

$$T = T_0 + k \log(8t+1) \ (단, k는 상수이다.)$$

초기 온도가 20℃인 이 화재실에서 화재가 발생한 지 $\dfrac{9}{8}$분 후의 온도는 365℃이었고 화재가 발생한 지 a분 후의 온도는 710℃이었다. a의 값을 구하시오. ◯ △ ✕

유제 3-18

어떤 물질이 녹아 있는 용액에 단색광을 투과시킬 때 투과 전 단색광의 세기에 대한 투과 후 단색광의 세기의 비를 그 단색광의 투과도라고 한다. 투과도를 T, 단색광이 투과한 길이를 l, 용액의 농도를 d라 할 때, 다음 관계가 성립한다.

$$\log T = -kld \ (단, k는 양의 상수이다.)$$

이 물질에 대하여 투과한 길이가 $l_0(l_0 > 0)$이고 용액의 농도가 $3d_0(d_0 > 0)$일 때의 투과도를 T_1, 투과한 길이가 $2l_0$이고 용액의 농도가 $4d_0$일 때의 투과도를 T_2라 하자. $T_2 = T_1{}^n$을 만족시키는 n의 값을 구하시오. ◯ △ ✕

04 지수함수와 로그함수

1. 지수함수의 뜻과 그래프
① 지수함수의 뜻
② 지수함수의 그래프
③ 지수함수의 그래프의 평행이동
④ 지수함수의 그래프의 대칭이동
⑤ 지수함수의 최대·최소

2. 로그함수의 뜻과 그래프
① 로그함수의 뜻
② 로그함수의 그래프
③ 지수함수의 그래프와 로그함수의
　그래프의 관계
④ 로그함수의 그래프의 평행이동
⑤ 로그함수의 그래프의 대칭이동
⑥ 로그함수의 최대·최소

핵심
Point

1. 지수함수와 로그함수의 뜻
(1) $a>0$, $a \neq 1$일 때, 실수 x에 대하여 a^x을 대응시키는 함수
　$y=a^x$을 a를 밑으로 하는 지수함수라고 한다.
(2) $a>0$, $a \neq 1$일 때, 양의 실수 x에 대하여 $y=a^x$의 역함수
　$y=\log_a x$를 a를 밑으로 하는 로그함수라고 한다.

2. 지수함수 $y=a^x$ $(a>0,\ a \neq 1)$의 성질
(1) 정의역은 실수 전체의 집합이고, 치역은 양의 실수 전체의 집합이다.
(2) 그래프는 점 $(0,\ 1)$을 지난다.
(3) 그래프의 점근선은 x축이다.
(4) $a>1$일 때, x의 값이 증가하면 y의 값도 증가한다.
　 $0<a<1$일 때, x의 값이 증가하면 y의 값은 감소한다.

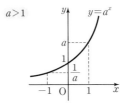 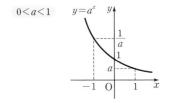

3. 로그함수 $y=\log_a x$ $(a>0,\ a \neq 1)$의 성질
(1) 정의역은 양의 실수 전체의 집합이고, 치역은 실수 전체의 집합이다.
(2) 그래프는 점 $(1,\ 0)$을 지난다.
(3) 그래프의 점근선은 y축이다.
(4) $a>1$일 때, x의 값이 증가하면 y의 값도 증가한다.
　 $0<a<1$일 때, x의 값이 증가하면 y의 값은 감소한다.

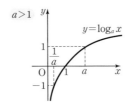 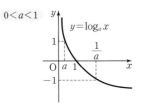

아름다운샘

1 지수함수의 뜻과 그래프

핵심 Note

필수 예제 1

지수함수 $y=a^x\,(a>1)$의 그래프와 직선 $y=x$는 그림과 같다. $a^{\alpha}=3$, $a^{\beta}=27$일 때, $a+\gamma$의 값을 구하시오.

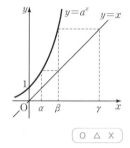

○ △ X

유제 4-1

그림은 지수함수 $y=a^x$ $(0<a<1)$의 그래프와 직선 $y=x$ 이다. 이때, k의 값은?

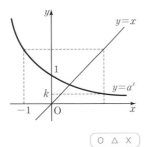

① $\dfrac{1}{a}$　　　② a　　　③ $\sqrt{a}$

④ $a^{\frac{1}{a}}$　　　⑤ a^a

유제 4-2

지수함수 $y=a^x$의 그래프 위의 두 점 $A(0, b)$, $B(c, 16)$과 원점 $O(0, 0)$으로 이루어진 삼각형 AOB의 넓이가 2일 때, $a+b+c$의 값을 구하시오. (단, $a>1$)

필수 예제 2

다음 함수의 그래프를 그리고, 치역과 점근선의 방정식을 구하시오.

(1) $y = 2^{x-1} + 3$

○ △ X

(2) $y = \left(\dfrac{1}{2}\right)^{x+1} - 2$

○ △ X

다음 함수의 그래프를 그리고, 치역과 점근선의 방정식을 구하시오.

(1) $y = 5 \times 3^{x+2} + 1$

○ △ X

(2) $y = 3^{-x-1} - 1$

○ △ X

(3) $y = -3^{x-2} + 2$ ◯ △ X

(4) $y = -\left(\dfrac{1}{3}\right)^{x-1} - 2$ ◯ △ X

다음 함수의 그래프를 그리고, 치역을 구하시오.

(1) $y = 2^{|x|}$ ◯ △ X

(2) $y = 2^x + 2^{-x}$ ◯ △ X

아름다운샘

필수 예제 3

함수 $y=3^x$의 그래프를 x축의 방향으로 -2만큼, y축의 방향으로 5만큼 평행이동한 후, y축에 대하여 대칭이동한 그래프의 식이 $y=a\left(\dfrac{1}{3}\right)^x+b$일 때, 두 상수 a, b에 대하여 $a-b$의 값을 구하시오. (○ △ X)

유제 4-5

지수함수 $y=a^x$의 그래프를 y축에 대하여 대칭이동한 후, x축의 방향으로 3만큼, y축의 방향으로 2만큼 평행이동한 그래프가 점 $(1, 5)$를 지날 때, a의 값을 구하시오. (○ △ X)

아름다운샘

함수 $y=4^x$의 그래프를 x축의 방향으로 m만큼, y축의 방향으로 n만큼 평행이동한 후,
x축에 대하여 대칭이동하였더니 함수 $y=-\dfrac{1}{16}\times 4^x-3$의 그래프와 일치하였다. 이때,
두 상수 m, n의 합 $m+n$의 값을 구하시오. ⟨ O △ X ⟩

필수 예제 4

지수함수를 이용하여 다음 수들의 대소를 비교하시오.

(1) $\sqrt[3]{\dfrac{1}{9}}$, $\sqrt[5]{\dfrac{1}{27}}$ ⟨ O △ X ⟩

(2) $(\sqrt{2})^3$, $\sqrt[5]{16}$, $\sqrt[3]{4}$ ⟨ O △ X ⟩

지수함수를 이용하여 다음 세 수의 대소를 비교하시오.

(1) $8^{\frac{1}{4}}$, $\sqrt{2}$, $\sqrt[3]{16}$

(O △ X)

(2) $\sqrt{\dfrac{1}{4}}$, $\sqrt[3]{\dfrac{1}{2}}$, $\sqrt[5]{\dfrac{1}{16}}$

(O △ X)

필수 예제 5

주어진 범위에서 다음 함수의 최댓값과 최솟값을 구하시오.

(1) $y = 3^{x+1}$ $(-1 \leq x \leq 1)$

(O △ X)

(2) $y = 4^x - 3 \times 2^x$ $(x \leq 2)$

(O △ X)

유제 4-8

주어진 범위에서 다음 함수의 최댓값과 최솟값을 구하시오.

(1) $y = 2^{-x} \times 3^x \ (-2 \leq x \leq 1)$ ⓞ △ Ⅹ

(2) $y = 2^{1-x} \ (-1 \leq x \leq 2)$ ⓞ △ Ⅹ

유제 4-9

주어진 범위에서 다음 함수의 최댓값과 최솟값을 구하시오.

(1) $y = 2 \times 3^x - 9^x \ (-1 \leq x \leq 1)$ ⓞ △ Ⅹ

(2) $y = 9^x - 2 \times 3^{x+1} + 10 \ (0 \leq x \leq 1)$ ⓞ △ Ⅹ

함수 $y=\dfrac{2^x+2^{-x}}{2}$ 의 그래프와 직선 $y=\dfrac{5}{4}$ 가 만나는 서로 다른 두 점 A, B와 원점

O$(0, 0)$에 대하여 삼각형 AOB의 넓이를 구하시오.　　　　　　　(○ △ X)

유제 4-10

함수 $y=k\times3^x\,(0<k<1)$의 그래프가 두 함수
$$y=3^{-x},\ y=-4\times3^x+8$$
의 그래프와 만나는 점을 각각 P, Q라 하자.

점 P와 점 Q의 x좌표의 비가 $1:2$일 때, $35k$의 값을 구하시오.

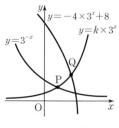

(○ △ X)

2 로그함수의 뜻과 그래프

핵심 Note

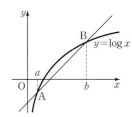

그림과 같은 곡선 $y=\log x$와 기울기가 1인 직선이 두 점 A, B에서 만난다. 두 점 A, B의 x좌표를 각각 a, b라 할 때, 다음 중 $b-a$의 값과 같은 것은?

① $\log(a+b)$ ② $\log(b-a)$

③ $\log \dfrac{a}{b}$ ④ $\log ab$

⑤ $\log \dfrac{b}{a}$

O △ X

아름다운 샘

그림은 $y=\log_5 x$의 그래프이다.

이때, $\dfrac{\overline{OA}}{\overline{OB}}$의 값을 구하시오.

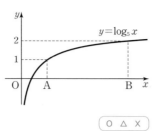

O △ X

그림에서 두 점 A, C는 함수 $y=\log_4 x$의 그래프 위의 점이고, 두 점 B, D는 함수 $y=\log_2 x$의 그래프 위의 점이다. 세 선분 AB, BC, CD는 각각 x축 또는 y축에 평행하고, $\overline{CD}=1$일 때, 선분 AB의 길이를 구하시오.

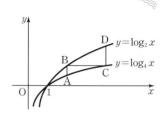

O △ X

다음 함수의 그래프를 그리고, 정의역과 치역, 점근선의 방정식을 구하시오.

(1) $y = \log_2 (x-1) + 2$

◯ △ ✕

(2) $y = \log_{\frac{1}{3}} (x+2) - 1$

◯ △ ✕

다음 함수의 그래프를 그리고, 정의역과 치역, 점근선의 방정식을 구하시오.

(1) $y = \log_3 (x-2) + \dfrac{3}{2}$

◯ △ ✕

(2) $y = \log_{\frac{1}{2}} (2x-4)$

◯ △ ✕

(3) $y = \log_{\frac{1}{3}}(-9x+18)+2$ ⟨ O △ X ⟩

(4) $y = -\log_2(1-x)-1$ ⟨ O △ X ⟩

유제 4-14

다음 함수의 그래프를 그리시오.

(1) $y = \log_2|x|$ ⟨ O △ X ⟩

(2) $|y| = \log_2 x$ ⟨ O △ X ⟩

(3) $y = |\log_2 x|$

필수 예제 9

함수 $y = \log_2 x$의 그래프를 x축의 방향으로 -1만큼, y축의 방향으로 2만큼 평행이동한 후, 다시 y축에 대하여 대칭이동하였더니 함수 $y = \log_2 a(1 + bx)$의 그래프와 일치하였다. 이때, $a + b$의 값을 구하시오. (단, a, b는 상수이다.)

◯ △ X

함수 $y=a\log_{\frac{1}{4}}x$의 그래프를 x축의 방향으로 $-\frac{1}{2}$만큼, y축의 방향으로 1만큼 평행이동

평행이동하면 점 $\left(\frac{3}{2}, \frac{3}{2}\right)$을 지난다. 이때, 상수 a의 값을 구하시오. $\boxed{\text{O} \; \triangle \; \text{X}}$

함수 $y=3^x$의 그래프를 직선 $y=x$에 대하여 대칭이동한 후 이것을 다시 x축의 방향으로 -2만큼, y축의 방향으로 2만큼 평행이동하였더니 $y=\log_3 a(x+b)$의 그래프와 일치하였다. 이때, $a-b$의 값을 구하시오. (단, a, b는 상수이다.) $\boxed{\text{O} \; \triangle \; \text{X}}$

필수 예제 10

로그함수를 이용하여 다음 수들의 대소를 비교하시오.

(1) $\log_3 4$, $\log_3 5$ (O △ X)

(2) $\log_{\frac{1}{2}} \frac{1}{3}$, 0, $\log_{\frac{1}{2}} 3$ (O △ X)

유제 4-17

로그함수를 이용하여 다음 수들의 대소를 비교하시오.

(1) $\log_{\frac{1}{3}} \sqrt{3}$, $\log_{\frac{1}{3}} 2$ (O △ X)

(2) $\log_2 5$, $2\log_2 3$, 3 (O △ X)

다음 물음에 답하시오.

(1) $4 \leq x \leq 6$에서 함수 $y = \log_2 (x-2)$의 최댓값과 최솟값을 구하시오.   ○ △ X

(2) $3 \leq x \leq 81$에서 함수 $y = (\log_3 x)^2 - \log_3 x^4 - 2$의 최댓값과 최솟값을 구하시오.
    ○ △ X

$2 \leq x \leq 8$에서 함수 $y = \log_{\frac{1}{3}} (x+1)$의 최댓값과 최솟값을 구하시오.   ○ △ X

$1 \le x \le 9$에서 함수 $y = (\log_3 x + 1)(\log_{\frac{1}{3}} x - 9)$의 최댓값과 최솟값을 구하시오.

O △ X

함수 $y = \log_{\frac{1}{4}} (x^2 - 2x + 9)$의 최댓값을 구하시오.

O △ X

필수 예제 12

다음 함수의 역함수를 구하시오.

(1) $y = 3 \times 2^{x-1}$ $\boxed{\text{O} \;\triangle\; \text{X}}$

(2) $y = \log_3 (x+1) - 2$ $\boxed{\text{O} \;\triangle\; \text{X}}$

유제 4-**21**

다음 함수의 역함수를 구하시오.

(1) $y = 3^{x+1} - 2$ $\boxed{\text{O} \;\triangle\; \text{X}}$

(2) $y = \log_2 (x-3) + 1$ $\boxed{\text{O} \;\triangle\; \text{X}}$

함수 $f(x)=1+5\log_2 x$에 대하여 함수 g가 $(g \circ f)(x)=x$를 만족시킬 때, $g(11)$의 값을 구하시오.

◯ △ X

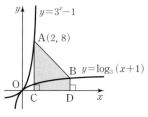

곡선 $y=3^x-1$ 위의 점 $\mathrm{A}(2, 8)$을 지나고 기울기가 -1인 직선이 곡선 $y=\log_3(x+1)$과 만나는 점을 B라 하자.
두 점 A, B에서 x축에 내린 수선의 발을 각각 C, D라 할 때, 사각형 ACDB의 넓이를 구하시오.

◯ △ X

그림과 같이 두 점 $A(2, 3)$, $B(4, 1)$을 이은 선분 위의 임의의 한 점 P를 지나고 x축에 평행한 직선이 곡선 $y=\log_2 x-1$과 만나는 점을 H, y축에 평행한 직선이 곡선 $y=2^x-1$과 만나는 점을 K라고 한다.

이때, $\overline{PH}+\overline{PK}$의 최솟값을 구하시오.

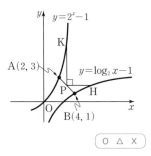

○ △ ✕

05 지수함수의 활용

1. 지수방정식
① 밑을 같게 하는 경우
② 밑이 같지 않은 경우
③ 지수가 같은 경우
④ $a^x=t$로 치환하는 경우

2. 지수부등식
① 밑을 같게 하는 경우
② 밑이 같지 않은 경우
③ $a^x=t$로 치환하는 경우

핵심 Point

1. 지수방정식의 풀이

(1) 밑을 같게 할 수 있을 때,
$a^{f(x)}=a^{g(x)}$ $(a>0,\ a\neq1)$의 꼴로 정리한 다음 $f(x)=g(x)$를 푼다.

(2) 밑이 같지 않을 때,
$a^{f(x)}=b^{g(x)}$ $(a>0,\ a\neq1,\ b>0,\ b\neq1,\ a\neq b)$의 꼴로 정리한 다음 양변에 상용로그를 취하여 $\log a^{f(x)}=\log b^{g(x)}$을 푼다.

(3) 지수가 같을 때,
$a^{f(x)}=b^{f(x)}$ $(a>0,\ a\neq1,\ b>0,\ b\neq1)$의 꼴일 때에는 밑이 같거나 지수가 0이다. 즉, $a=b$ 또는 $f(x)=0$이다.

(4) 항이 3개 이상일 때,
$a^x=t$ $(t>0)$로 치환하여 t에 대한 방정식을 푼다.

2. 지수부등식의 성질

$a^{x_1}<a^{x_2}$일 때,
(1) $a>1$이면 $x_1<x_2$
(2) $0<a<1$이면 $x_1>x_2$

$a>1$ 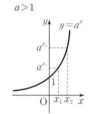 $0<a<1$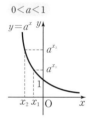

3. 지수부등식의 풀이

(1) 밑을 같게 할 수 있을 때,
$a>1$일 때, $a^{f(x)}<a^{g(x)} \iff f(x)<g(x)$
$0<a<1$일 때, $a^{f(x)}<a^{g(x)} \iff f(x)>g(x)$
를 이용하여 해를 구한다.

(2) 밑이 같지 않을 때,
$a^{f(x)}<b^{g(x)}$ $(a>0,\ a\neq1,\ b>0,\ b\neq1,\ a\neq b)$의 꼴로 정리한 다음 양변에 상용로그를 취하여 $\log a^{f(x)}<\log b^{g(x)}$을 푼다.

(3) 항이 3개 이상일 때,
$a^x=t$ $(t>0)$로 치환하여 t에 대한 부등식을 푼다.

1 지수방정식

핵심 Note.

다음 방정식을 푸시오.

(1) $2^{x^2-3x}=4^{x+3}$

$\boxed{\text{O} \ \triangle \ \text{X}}$

(2) $\left(\dfrac{4}{3}\right)^{x^2+x}=\left(\dfrac{3}{4}\right)^{2x-4}$

$\boxed{\text{O} \ \triangle \ \text{X}}$

(3) $3^{x-2}=7^{2x+1}$

유제 5-**1**

다음 방정식을 푸시오.

(1) $4^{2x+1}=8\sqrt[3]{2}$

(2) $\left(\dfrac{3}{2}\right)^{2x-3}=\left(\dfrac{2}{3}\right)^{x-1}$

(3) $27^{x+2}=3^{x^2-2x}$

○ △ X

(4) $\left(\dfrac{1}{4}\right)^{x-1}=4\times 2^{x^2-3}$

○ △ X

다음 방정식을 푸시오.

(1) $3^{2x-1}=4^{x+1}$

○ △ X

(2) $5^x-3^{x+2}=0$

○ △ X

다음 방정식을 푸시오.

(1) $x^x = x^2$ (단, $x > 0$) ○ △ X

(2) $x^{x-1} = 2^{x-1}$ (단, $x > 0$) ○ △ X

(3) $(x+3)^x = 4^x$ (단, $x > -3$) ○ △ X

다음 방정식을 푸시오.

(1) $x^{2x}=x^{x+2}$ (단, $x>0$) ○ △ X

(2) $(x+3)^{x^2}=(x+3)^{x+6}$ (단, $x>-3$) ○ △ X

(3) $x^{2x-1}=5^{2x-1}$ (단, $x>0$) ○ △ X

(4) $(3x+4)^{x-2}=(x+6)^{x-2}$ $\left(단, \ x>-\dfrac{4}{3}\right)$ ○ △ X

필수 예제 3

다음 방정식을 푸시오.

(1) $4^x + 2^{x+2} - 32 = 0$　　　　　O △ X

(2) $3^{x+2} + 3^{-x} = 10$　　　　　O △ X

유제 5-4

다음 방정식을 푸시오.

(1) $3^{2x+1} + 2 \times 3^x = 1$　　　　　O △ X

(2) $27^x - 4 \times 3^{2x-1} + 3^{x-1} = 0$　　　　　O △ X

(3) $7^x + 7^{-x} = 2$ ○ △ X

(4) $2^x + \sqrt{2} \times 2^{-x} - 1 - \sqrt{2} = 0$ ○ △ X

유제 5-**5**

연립방정식

$$\begin{cases} 3 \times 2^x - 2 \times 3^y = 6 \\ 2^{x-2} - 3^{y-1} = -1 \end{cases}$$

의 해를 $x = \alpha$, $y = \beta$라 할 때, $\alpha^2 + \beta^2$의 값을 구하시오.   ○ △ X

방정식 $2(4^x+4^{-x})-(2^x+2^{-x})-6=0$의 해를 구하시오.

$\bigcirc \ \triangle \ \times$

방정식 $4(2^x+2^{-x})^2-21(2^x+2^{-x})+17=0$의 모든 실근의 곱을 구하시오.

$\bigcirc \ \triangle \ \times$

아름다운 샘

방정식 $4^x+4^{-x}+a(2^x-2^{-x})+7=0$이 실근을 갖도록 하는 양수 a의 최솟값을 m이라 할 때, m^2의 값을 구하시오.　⟨ ○ △ X ⟩

방정식 $4^x-2^{x+1}+k=0$에 대하여 다음 물음에 답하시오.

(1) 방정식의 두 근의 합이 -2일 때, 상수 k의 값을 구하시오.　⟨ ○ △ X ⟩

(2) 방정식이 서로 다른 두 실근을 가질 때, 실수 k의 값의 범위를 구하시오.　⟨ ○ △ X ⟩

방정식 $4^x - 5 \times 2^x + 2 = 0$이 서로 다른 두 실근 α, β를 가질 때, $\alpha + \beta$의 값을 구하시오.

○ △ X

방정식 $9^x = 3^{x+2} - k$가 오직 하나의 실근을 갖도록 하는 실수 k의 최댓값을 구하시오.

○ △ X

2 지수부등식

핵심 Note

핵심 Note

필수 예제 6

다음 부등식을 푸시오.

(1) $4^{x-2} \geq 8^{2-x}$ ○ △ X

(2) $3 < \left(\dfrac{1}{3}\right)^x < 27$ ○ △ X

아름다운샘

(3) $5^{2x-1} \leq 3^{x+2}$

◯ △ X

유제 5-10

다음 부등식을 푸시오.

(1) $\left(\dfrac{1}{3}\right)^{2x+1} \geq \left(\dfrac{1}{81}\right)^{x}$

◯ △ X

(2) $\left(\dfrac{1}{2}\right)^{x} < 2\sqrt{2} < \left(\dfrac{1}{4}\right)^{x-1}$

◯ △ X

다음 부등식을 푸시오.

(1) $2 \times 2^x < 3^{2x+1}$

$\boxed{\text{O} \ \triangle \ \text{X}}$

(2) $(\sqrt{8})^x \leq (\sqrt{27})^{x+2}$

$\boxed{\text{O} \ \triangle \ \text{X}}$

다음 부등식을 푸시오. (단, $x > 0$)

(1) $x^{3x+2} > x^{x+6}$

$\boxed{\text{O} \ \triangle \ \text{X}}$

(2) $x^{2x^2+1} < x^{9x-3}$

$\boxed{\text{O} \ \triangle \ \text{X}}$

다음 부등식을 푸시오. (단, $x>0$)

(1) $x^{2x-5} \leq x^7$

⟨ O △ X ⟩

(2) $x^{x^2-2} > x^{2x+1}$

⟨ O △ X ⟩

다음 부등식을 푸시오.

(1) $2^{2x} - 5 \times 2^{x-1} + 1 < 0$

⟨ O △ X ⟩

(2) $9^x + 2 \times 3^{x+1} \geq 16$

⟨ O △ X ⟩

아름다운샘

다음 부등식을 푸시오.

(1) $5^{2x} - 3 \times 5^x - 10 > 0$

〔 O △ X 〕

(2) $\left(\dfrac{1}{9}\right)^x + \left(\dfrac{1}{3}\right)^x > 12$

〔 O △ X 〕

(3) $3^{2x} - 9 \times 3^x + 1 < 3^{x-2}$

〔 O △ X 〕

(4) $2^{x+3} + 2^{2-x} \leq 33$

〔 O △ X 〕

연립부등식 $\begin{cases} 4^x - 3 \times 2^{x+2} + 32 < 0 \\ \left(\dfrac{1}{2}\right)^{x^2+1} > \left(\dfrac{1}{4}\right)^{2x-1} \end{cases}$ 의 해가 $a < x < b$일 때, $a+b$의 값을 구하시오.

○ △ X

발전 예제 9

모든 실수 x에 대하여 부등식 $3^{2x} - 2 \times 3^{x+1} + k > 0$을 만족시키는 정수 k의 최솟값을 구하시오.

○ △ X

아름다운샘

모든 실수 x에 대하여 부등식 $x^2-2(2^a-2)x+2^a>0$이 항상 성립하도록 하는 실수 a의
값의 범위를 구하시오.　　　　　　　　　　　　　　 O △ X

모든 실수 x에 대하여 부등식 $4^x-k\times2^x+3\geq0$이 항상 성립하도록 하는 상수 k의 최댓값
을 구하시오.　　　　　　　　　　　　　　 O △ X

주위 온도가 일정하게 $S(^\circ\mathrm{C})$로 유지될 때, 최초 온도가 $T_0(^\circ\mathrm{C})$인 어떤 물체의 t시간 후의 온도를 $T(^\circ\mathrm{C})$라 하면 다음과 같은 식이 성립한다고 한다.

$T = S + (T_0 - S)10^{-kt}$ (단, k는 상수이다.)

주위 온도가 $18^\circ\mathrm{C}$로 유지될 때, 최초 온도가 $30^\circ\mathrm{C}$인 물체의 2시간 후의 온도가 $24^\circ\mathrm{C}$이었다. 같은 조건에서 최초 온도가 $24^\circ\mathrm{C}$인 물체의 온도가 $22^\circ\mathrm{C}$가 될 때까지 걸린 시간을 구하시오. (단, $\log 2 = 0.30$, $\log 3 = 0.48$로 계산한다.)   ○ △ ×

A도시의 어떤 달의 쓰레기의 양을 W_0, 그 쓰레기의 양을 조사한 달로부터 경과된 달의 수를 t라 할 때, 쓰레기의 양 W는 $W = W_0\left(\dfrac{3}{4}\right)^{kt}$인 관계가 있다고 한다.

A도시의 2월 쓰레기의 양은 800톤이고 그 해 6월의 쓰레기의 양은 600톤일 때, 상수 k의 값을 구하시오.   ○ △ ×

반감기가 T년인 방사성 물질의 현재의 질량을 a, t년 후의 질량을 $f(t)$라 하면 다음 관계식이 성립한다.

$$f(t) = a \times \left(\frac{1}{2}\right)^{\frac{t}{T}}$$

반감기가 10년인 어떤 방사성 물질의 질량이 처음 질량의 $\frac{1}{20}$ 이하가 되는 것은 몇 년 후부터인지 구하시오. (단, $\log 2 = 0.3$으로 계산한다.) ○ △ ✕

어느 공장에서 오염 물질을 포함한 폐수를 방류하려 한다. 이 공장의 폐수처리기계를 통과하면 오염 물질의 10%가 제거된다고 할 때, 폐수에 포함된 오염 물질의 양을 처음의 4% 이하로 하려면 이 폐수는 폐수처리기계를 최소 n번 통과해야 한다. 이때, n의 값을 구하시오. (단, $\log 2 = 0.30$, $\log 3 = 0.48$로 계산한다.) ○ △ ✕

06 로그함수의 활용

1. 로그방정식
① 밑이 같은 경우
② 밑이 다른 경우
③ $\log_a x = t$로 치환하는 경우
④ 지수에 $\log_a x$를 포함한 경우

2. 로그부등식
① 밑을 같게 하는 경우
② $\log_a x = t$로 치환하는 경우
③ 지수에 $\log_a x$를 포함한 경우

핵심 Point

1. 로그방정식의 풀이
(1) 밑이 같을 때,
$$\log_a f(x) = \log_a g(x) \iff f(x) = g(x) \ (\text{단}, f(x) > 0, g(x) > 0, a > 0, a \neq 1)$$
(2) 밑이 다를 때,
로그의 성질이나 밑의 변환 공식을 이용하여 밑을 같게 한 후 방정식을 푼다.
(3) $\log_a x$의 꼴이 반복될 때,
$\log_a x = t$로 치환하여 t에 대한 방정식을 푼다.
(4) 지수에 $\log_a x$를 포함할 때,
양변에 a를 밑으로 하는 로그를 취하여 방정식을 푼다.

2. 로그부등식의 성질
$\log_a x_1 < \log_a x_2 \ (x_1 > 0, \ x_2 > 0)$일 때,
(1) $a > 1$이면 $x_1 < x_2$
(2) $0 < a < 1$이면 $x_1 > x_2$

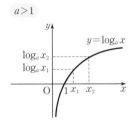 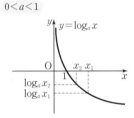

3. 로그부등식의 풀이
(1) 밑을 같게 할 수 있을 때,
① $a > 1$일 때, $\log_a f(x) < \log_a g(x) \iff f(x) < g(x)$
② $0 < a < 1$일 때, $\log_a f(x) < \log_a g(x) \iff f(x) > g(x)$
를 이용하여 해를 구한다.
(2) $\log_a x$의 꼴이 반복될 때,
$\log_a x = t$로 치환하여 t에 대한 부등식을 푼다.
(3) 지수에 $\log_a x$를 포함할 때,
양변에 a를 밑으로 하는 로그를 취하여 부등식을 푼다.

아름다운샘

1 로그방정식

핵심 Note

다음 방정식을 푸시오.

(1) $\log_2(2x+1) = \log_2 5$

O △ X

(2) $2\log_3 x = \log_3(x-2) + 2$

O △ X

아름다운 샘

다음 방정식을 푸시오.

(1) $\log_3 (2x-3) = \log_3 x$ ⟨ O △ X ⟩

(2) $\log_2 2x - \log_2 (x+1) = 2$ ⟨ O △ X ⟩

(3) $\log x + \log (x+6) = 3\log 3$ ⟨ O △ X ⟩

(4) $\log 2x + \log (x-1) = \log (x^2+3)$ ⟨ O △ X ⟩

아름다운샘

필수 예제 2

다음 방정식을 푸시오.

(1) $\log_2(x-2)=\log_4 x$

⟨ ○ △ X ⟩

(2) $\log_2(x+3)+\log_{\frac{1}{4}}(x+7)=\dfrac{1}{2}$

⟨ ○ △ X ⟩

유제 6-2

다음 방정식을 푸시오.

(1) $\log_3 3x=\log_9(6-x)+1$

⟨ ○ △ X ⟩

(2) $\log_3 x=\log_{\frac{1}{3}}(x-3)+2\log_3 2$

⟨ ○ △ X ⟩

아름다운 샘

다음 방정식을 푸시오.

(1) $(\log_2 x)^2 - 4\log_2 x = 12$ 　　　　　　　 ○ △ X

(2) $(\log x - 1)(\log x + 3) = 5$ 　　　　　　　 ○ △ X

다음 방정식을 푸시오.

(1) $2(\log_3 x)^2 = \log_3 x + 1$ 　　　　　　　 ○ △ X

(2) $(1 - \log_4 x)\log_2 x = \log_4 2$ 　　　　　　　 ○ △ X

연립방정식 $\begin{cases} \log_3 x + \log_2 y = 6 \\ \log_3 x \times \log_2 y = 8 \end{cases}$ 을 만족시키는 x, y에 대하여 $x+y$의 값을 구하시오.

(단, $0 < y < x$)

○ △ X

필수 예제 4

다음 방정식을 푸시오.

(1) $x^{\log_2 x} = 4x$

○ △ X

(2) $x^{\log 2} \times 2^{\log x} - 5 \times 2^{\log x} + 4 = 0$

○ △ X

다음 방정식을 푸시오.

(1) $x^{\log x} = \dfrac{x^3}{100}$

$\boxed{\text{O} \ \triangle \ \text{X}}$

(2) $(2x)^{\log 2} = (3x)^{\log 3}$ (단, $x > 0$)

$\boxed{\text{O} \ \triangle \ \text{X}}$

(3) $3^{\log x} + 3^{1-\log x} = 4$

$\boxed{\text{O} \ \triangle \ \text{X}}$

(4) $9^{\log x} \times x^{\log 9} - 2(9^{\log x} + x^{\log 9}) + 3 = 0$

$\boxed{\text{O} \ \triangle \ \text{X}}$

다음 물음에 답하시오.

(1) 방정식 $(\log_2 x)^2 - 5\log_2 x + 2 = 0$의 두 근을 α, β라 할 때, $\alpha\beta$의 값을 구하시오.

(○ △ X)

(2) x에 대한 이차방정식 $x^2 - 2(\log a)x + 4 = 0$이 중근을 가질 때, 상수 a의 값을 구하시
오.

(○ △ X)

x에 대한 방정식 $\log x - 6\log_x 10 + a = 0$의 두 근의 곱이 10일 때, 상수 a의 값을
구하시오.

(○ △ X)

x에 대한 이차방정식 $x^2-2(1+\log a)x+(\log a)^2=0$이 중근을 가질 때, 상수 a의 값을 구하시오. ○ △ ×

2 로그부등식

핵심 Note

다음 부등식을 푸시오.

(1) $\log_2 (x^2 - x + 1) > \log_2 3$ 　〔 ○ △ X 〕

(2) $\log_3 (x - 4) > \log_9 (x - 2)$ 　〔 ○ △ X 〕

(3) $\log_{\frac{1}{2}} (x - 1) \leq \log_{\frac{1}{4}} (x - 1)$ 　〔 ○ △ X 〕

다음 부등식을 푸시오.

(1) $\log_2 (x+1) + \log_2 (x+3) \leq 3$ ⟨ O △ X ⟩

(2) $\log_2 (x-2) \leq \log_4 (x+6) + 1$ ⟨ O △ X ⟩

(3) $\log_3 (x-1) - \log_{\frac{1}{3}} (x+1) < 2\log_9 (x+5)$ ⟨ O △ X ⟩

다음 부등식을 푸시오.

(1) $(\log_3 x)^2 < \log_3 x^2$

O △ X

(2) $(\log x)^2 \geq 3 - \log x^2$

O △ X

다음 부등식을 푸시오.

(1) $(\log x)^2 - 2 > \log x$

O △ X

(2) $2(\log_3 x)^2 - \log_3 x^3 + 1 \leq 0$

O △ X

연립부등식 $\begin{cases} \log_2 x \geq \log_2 7 \\ (\log_2 x)^2 - \log_2 x^6 + 8 < 0 \end{cases}$ 을 만족시키는 모든 정수 x의 개수를 구하시오.

○ △ X

필수 예제 8

다음 부등식을 푸시오.

(1) $100 x^{\log x} < x^3$

○ △ X

(2) $x^{\log x} \geq \dfrac{1000}{x^2}$

○ △ X

다음 부등식을 푸시오.

(1) $x^{2\log x} \geq 100x^3$　　　　　　　　$\boxed{\text{O} \ \triangle \ \text{X}}$

(2) $8x^{\log_2 x} < x^4$　　　　　　　　$\boxed{\text{O} \ \triangle \ \text{X}}$

필수 예제 9

x에 대한 이차부등식 $x^2\log_3 a - 2x\log_3 a + 1 > 0$이 모든 실수 x에 대하여 항상 성립할 때, 상수 a의 값의 범위를 구하시오. (단, $a > 0$)　　$\boxed{\text{O} \ \triangle \ \text{X}}$

x에 대한 이차함수 $f(x)=(\log a)x^2+2(2-\log a)x+1$이 모든 실수 x에 대하여 $f(x)>0$이 되도록 하는 상수 a의 값의 범위를 구하시오. (단, $a>0$)

○ △ X

x에 대한 이차방정식 $2x^2-3x\log_a 2+\log_2 a=0$의 두 실근 α, β가 $0<\alpha<1<\beta$를 만족시키도록 하는 실수 a의 값의 범위를 구하시오.

○ △ X

어떤 음원으로부터 나오는 음향출력이 $x(\mathrm{W})$일 때, 음향파워레벨 $L_w(\mathrm{dB})$는 다음과 같이 계산한다.

$$L_w = 10 \log \frac{x}{x_0} \quad (\text{단, } x_0 \text{는 기준 음향출력을 나타내는 상수이다.})$$

음향출력이 $\dfrac{1}{100}(\mathrm{W})$인 어떤 음원의 음향파워레벨이 $100(\mathrm{dB})$일 때, 음향출력이 $\dfrac{1}{20}(\mathrm{W})$인 음원의 음향파워레벨을 구하시오. (단, $\log 2 = 0.3$으로 계산한다.) ○ △ ✕

지진의 규모 R와 지진이 일어났을 때 방출되는 에너지 E 사이에는 다음과 같은 관계가 있다고 한다.

$$R = 0.67 \log(0.37E) + 1.46$$

지진의 규모가 6.15일 때 방출되는 에너지를 E_1, 지진의 규모가 5.48일 때 방출되는 에너지를 E_2라 할 때, $\dfrac{E_1}{E_2}$의 값을 구하시오. ○ △ ✕

화재가 발생한 건물의 온도는 시간에 따라 변한다. 어느 건물의 초기 온도를 $T_0\,^\circ$C, 화재가 발생한 지 x분 후의 온도를 $f(x)\,^\circ$C라 하면

$$f(x) = T_0 + k\log(8x+1) \quad (k\text{는 상수})$$

이 성립한다고 한다. 초기 온도가 $20\,^\circ$C인 이 건물에서 화재가 발생한 지 $\dfrac{9}{8}$분만에 온도가 $180\,^\circ$C까지 올랐다고 할 때, 화재가 발생한 후 온도가 $340\,^\circ$C 이상이 되는 데 걸리는 최소 시간을 구하시오. 〔 O △ X 〕

소리가 건물의 벽을 통과할 때, 일정 비율만 실내로 투과되고 나머지는 반사되거나 흡수된다. 이때, 실내로 투과되는 소리의 비율을 투과율이라고 한다. 확성기의 음향출력이 W(와트)일 때, 투과율이 α인 건물에서 $r\,$(m)만큼 떨어진 지점에 있는 확성기로부터 실내로 투과되는 소리의 세기 P(데시벨)는 다음과 같다.

$$P = 10\log\dfrac{\alpha W}{I_0} - 20\log r - 11 \quad (\text{단, } I_0 = 10^{-12}\ (\text{와트/m}^2)\text{이고 } r > 1\text{이다.})$$

확성기에서 음향출력이 100(와트)인 소리가 나오고 있다. 투과율이 $\dfrac{1}{100}$인 건물의 실내로 투과되는 소리의 세기가 59(데시벨) 이하가 되게 할 때, 확성기와 건물 사이의 최소 거리를 구하시오. (단, 소리는 공간으로 골고루 퍼져나가고, 투과율 이외의 다른 요인은 고려하지 않는다고 가정한다.)

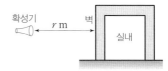

확성기 $r\,\text{m}$ 벽   실내

〔 O △ X 〕

07 삼각함수의 뜻

1. **일반각과 호도법**
   ① 일반각
   ② 호도법
   ③ 부채꼴의 호의 길이와 넓이

2. **삼각함수**
   ① 삼각비
   ② 삼각함수의 정의
   ③ 삼각함수의 값의 부호

3. **삼각함수 사이의 관계**
   ① 삼각함수 사이의 관계

핵심 Point

1. 일반각의 뜻

$\angle XOP$의 크기 중 하나를 $\alpha°$라 할 때,

$$\angle XOP = 360° \times n + \alpha° \ (n은 \ 정수)$$

로 나타내어지는 $\angle XOP$의 크기를 동경 OP가 나타내는 일반각이라고 한다.

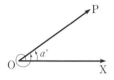

2. 육십분법과 호도법 사이의 관계

(1) 1라디안 $= \dfrac{180°}{\pi}$

(2) $1° = \dfrac{\pi}{180}$ 라디안

3. 부채꼴의 호의 길이와 넓이

반지름의 길이가 r, 중심각의 크기가 θ인 부채꼴의 호의 길이를 l, 넓이를 S라 하면

$$l = r\theta, \ S = \dfrac{1}{2} r^2 \theta = \dfrac{1}{2} rl$$

4. 삼각함수의 정의

(1) $\sin \theta = \dfrac{y}{r}$

(2) $\cos \theta = \dfrac{x}{r}$

(3) $\tan \theta = \dfrac{y}{x}$

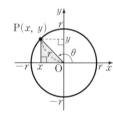

5. 삼각함수 사이의 관계

(1) $\tan \theta = \dfrac{\sin \theta}{\cos \theta}$

(2) $\sin^2 \theta + \cos^2 \theta = 1$

아름다운샘

1 일반각과 호도법

핵심 Note

필수 예제 1

다음 각의 동경의 위치를 좌표평면 위에 나타내고, 제 몇 사분면의 각인지 말하시오.

(1) 510° ○ △ X

(2) 1290° ○ △ X

아름다운 샘

(3) $-750°$ 〔 ○ △ X 〕

각을 나타내는 동경의 위치가 제3사분면에 있는 것을 **보기**에서 있는 대로 고르시오.

〔 ○ △ X 〕

보기
ㄱ. $440°$ ㄴ. $1020°$ ㄷ. $-160°$ ㄹ. $-532°$

(4) $-1050°$ 〔 ○ △ X 〕

다음에서 육십분법으로 나타낸 각은 호도법으로, 호도법으로 나타낸 각은 육십분법으로 나타내시오.

(1) $75°$ 　　　　　　　　　　　　　　　　　　O △ X

(2) $-120°$ 　　　　　　　　　　　　　　　　　O △ X

(3) 3π 　　　　　　　　　　　　　　　　　　O △ X

(4) $-\dfrac{13}{6}\pi$ 　　　　　　　　　　　　　　　O △ X

다음에서 육십분법으로 나타낸 각은 호도법으로, 호도법으로 나타낸 각은 육십분법으로 나타내시오.

(1) $280°$

(O △ X)

(2) $-144°$

(O △ X)

(3) $\dfrac{8}{3}\pi$

(O △ X)

(4) $-\dfrac{7}{5}\pi$

(O △ X)

필수 예제 3

각 θ가 제2사분면의 각일 때, 각 $\dfrac{\theta}{3}$를 나타내는 동경이 존재할 수 있는 사분면을 모두 구하시오. (○ △ X)

유제 7-3

각 θ가 제3사분면의 각일 때, 각 $\dfrac{\theta}{2}$를 나타내는 동경이 존재할 수 있는 사분면을 모두 구하시오. (○ △ X)

각 θ를 나타내는 동경과 각 7θ를 나타내는 동경이 서로 일치할 때, 각 θ의 크기를 구하시오. $\left(\text{단, } \dfrac{\pi}{2} < \theta < \pi\right)$

○ △ X

각 θ를 나타내는 동경과 각 6θ를 나타내는 동경이 일직선 위에 있고 방향이 반대일 때, 각 θ의 크기를 구하시오. $\left(\text{단, } \dfrac{3}{2}\pi < \theta < 2\pi\right)$

○ △ X

아름다운 샘

각 θ를 나타내는 동경과 각 5θ를 나타내는 동경이 x축에 대하여 서로 대칭일 때,

각 θ의 크기를 구하시오. $\left(\text{단, } \dfrac{\pi}{2}<\theta<\pi\right)$

○ △ X

필수 예제 5

다음을 구하시오.

(1) 중심각의 크기가 $\dfrac{4}{3}\pi$, 호의 길이가 8π cm인 부채꼴의 반지름의 길이와 넓이

○ △ X

(2) 넓이가 8π cm^{2}이고 중심각의 크기가 $45°$인 부채꼴의 반지름의 길이와 호의 길이

○ △ X

유제 7- 6

반지름의 길이가 5이고 호의 길이가 4π인 부채꼴의 중심각의 크기와 넓이를 구하시오.

(O △ X)

유제 7- 7

반지름의 길이가 3 cm이고 둘레의 길이가 $(\pi+6)$ cm인 부채꼴의 중심각의 크기와 넓이를 구하시오.

(O △ X)

둘레의 길이가 12인 부채꼴에서 넓이가 최대일 때의 반지름의 길이와 중심각의 크기를 구하시오. ○ △ X

둘레의 길이가 24인 부채꼴의 최대 넓이와 그때의 반지름의 길이를 구하시오. ○ △ X

넓이가 9인 부채꼴의 둘레의 길이의 최솟값을 구하시오. ○ △ X

삼각함수

핵심 Note.

필수 예제 7

다음 물음에 답하시오.

(1) 원점 O와 점 P$(-5, 12)$를 이은 선분을 동경으로 하는 각의 크기를 θ라 할 때,
$\sin\theta$, $\cos\theta$, $\tan\theta$의 값을 구하시오.   〔 O △ X 〕

(2) $\theta = -\dfrac{\pi}{3}$일 때, $\sin\theta$, $\cos\theta$, $\tan\theta$의 값을 구하시오.   〔 O △ X 〕

유제 7-10

원점 O와 점 P$(-3, -4)$를 이은 선분을 동경으로 하는 각의 크기를 θ라 할 때,
$\cos\theta - \sin\theta$의 값을 구하시오.   〔 O △ X 〕

제2사분면의 점 $P(a, b)$가 직선 $y = -\sqrt{3}\,x$ 위에 있다. 동경 OP가 나타내는 각을 θ라 할 때, $\dfrac{\sqrt{3}\sin\theta + \cos\theta}{\sqrt{3}\tan\theta}$ 의 값을 구하시오.   (○ △ X)

필수 예제 8

다음 물음에 답하시오.

(1) $\sin\theta\cos\theta > 0$, $\sin\theta\tan\theta < 0$을 동시에 만족시키는 각 θ는 제 몇 사분면의 각인지 구하시오.   (○ △ X)

(2) $\pi < \theta < \dfrac{3}{2}\pi$ 일 때, $|\sin\theta| + \sqrt{(\sin\theta - \tan\theta)^2}$ 을 간단히 하시오.   (○ △ X)

유제 7- 12

$\sin\theta\cos\theta>0$, $\sin\theta+\cos\theta<0$을 동시에 만족시키는 각 θ는 제 몇 사분면의 각인지 구하시오.

(O △ X)

유제 7- 13

$\dfrac{\sqrt{\sin\theta}}{\sqrt{\cos\theta}}=-\sqrt{\dfrac{\sin\theta}{\cos\theta}}$ 가 성립할 때, $\sqrt{\sin^2\theta}+|\cos\theta|+\sin\theta-\sqrt{\cos^2\theta}$

를 간단히 하시오. (단, $\sin\theta\cos\theta\neq0$)

(O △ X)

아름다운샘

3 삼각함수 사이의 관계

다음 식을 간단히 하시오.

(1) $(\sin\theta+\cos\theta)^2+(\sin\theta-\cos\theta)^2$ (○ △ X)

핵심 Note

(2) $\dfrac{1-\sin\theta}{\cos\theta}+\dfrac{\cos\theta}{1-\sin\theta}$ (○ △ X)

다음 식을 간단히 하시오.

(1) $(1-\sin^2\theta)(1+\tan^2\theta)$　　　　○　△　×

(2) $\dfrac{\sin\theta}{2(1-\sin\theta)}-\dfrac{\sin\theta}{2(1+\sin\theta)}$　　　　○　△　×

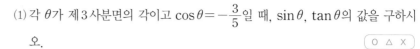

필수 예제 10

다음 물음에 답하시오.

(1) 각 θ가 제3사분면의 각이고 $\cos\theta=-\dfrac{3}{5}$일 때, $\sin\theta$, $\tan\theta$의 값을 구하시오.　　○　△　×

(2) $\dfrac{3}{2}\pi<\theta<2\pi$이고 $\dfrac{\cos\theta}{1+\sin\theta}+\dfrac{1+\sin\theta}{\cos\theta}=3$일 때, $\sin\theta$의 값을 구하시오.　○　△　×

각 θ가 제2사분면의 각이고 $\sin\theta=\dfrac{5}{13}$일 때, $\cos\theta$, $\tan\theta$의 값을 구하시오.　○　△　✕

$\pi<\theta<\dfrac{3}{2}\pi$이고 $\dfrac{\sin\theta}{1-\cos\theta}+\dfrac{1-\cos\theta}{\sin\theta}=-6$일 때, $\cos\theta$의 값을 구하시오.　○　△　✕

$\sin\theta+\cos\theta=\dfrac{1}{3}\left(\dfrac{\pi}{2}<\theta<\pi\right)$일 때, 다음 식의 값을 구하시오.

(1) $\sin\theta\cos\theta$

(3) $\tan\theta+\dfrac{1}{\tan\theta}$ ○ △ X

(2) $\sin\theta-\cos\theta$ ○ △ X

$\sin\theta\cos\theta=\dfrac{1}{4}$일 때, 다음 식의 값을 구하시오.

(1) $\sin\theta-\cos\theta$ ⟨ ○ △ X ⟩

(2) $\dfrac{1}{\sin\theta}-\dfrac{1}{\cos\theta}$ ⟨ ○ △ X ⟩

(3) $\sin^3\theta-\cos^3\theta$ ⟨ ○ △ X ⟩

제1사분면의 각 θ에 대하여 $\sin\theta - \cos\theta = \dfrac{1}{2}$일 때, $\sin^2\theta - \cos^2\theta$의 값을 구하시오.

(O △ X)

필수 예제 12

이차방정식 $2x^2 - kx + 1 = 0 \ (k > 0)$의 두 근이 $\sin\alpha$, $\cos\alpha$라 할 때, 실수 k의 값을 구하시오.

(O △ X)

이차방정식 $2x^2 - kx + \dfrac{k}{4} = 0$의 두 근이 $\sin^2\theta$, $\cos^2\theta$라 할 때, $\sin\theta + \cos\theta$의 값을 구하시오.

$\boxed{\text{O} \quad \triangle \quad \text{X}}$

이차방정식 $4x^2 + 3x + k = 0$의 두 근을 $\sin\alpha$, $\cos\alpha$라 할 때, 실수 k의 값을 구하시오.

$\boxed{\text{O} \quad \triangle \quad \text{X}}$

08 삼각함수의 그래프

1. 삼각함수의 그래프
① $y=\sin\theta$의 그래프
② $y=\cos\theta$의 그래프
③ $y=\sin x$, $y=\cos x$의 성질
④ $y=a\sin x$, $y=a\cos x$의 그래프
⑤ $y=\sin bx$, $y=\cos bx$의 그래프
⑥ $y=a\sin bx$, $y=a\cos bx$의 그래프
⑦ $y=a\sin b(x-m)+n$,
　$y=a\cos b(x-m)+n$의 그래프
⑧ $y=\tan\theta$의 그래프
⑨ $y=a\tan bx$의 그래프

2. 삼각함수의 그래프의 이해
① $2n\pi+\theta$의 삼각함수
② $-\theta$의 삼각함수
③ $\pi+\theta$, $\pi-\theta$의 삼각함수
④ $\dfrac{\pi}{2}+\theta$, $\dfrac{\pi}{2}-\theta$의 삼각함수

3. 삼각방정식과 삼각부등식
① 삼각방정식
② 삼각부등식

1. $y=\sin x$의 그래프

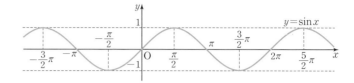

2. $y=\cos x$의 그래프

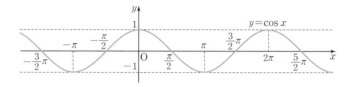

3. $y=\tan x$의 그래프

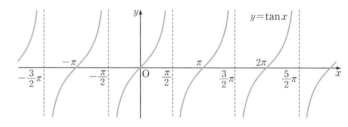

4. $y=a\sin b(x-m)+n$, $y=a\cos b(x-m)+n$의 그래프

최댓값: $|a|+n$, 최솟값: $-|a|+n$, 주기: $\dfrac{2\pi}{|b|}$

5. $y=a\tan b(x-m)+n$의 그래프

최댓값과 최솟값은 없다, 주기: $\dfrac{\pi}{|b|}$

6. 삼각방정식의 풀이
① 주어진 방정식을 $\sin x=k$ (또는 $\cos x=k$, $\tan x=k$)의 꼴로 고친다.
② 삼각함수 $y=\sin x$ (또는 $y=\cos x$, $y=\tan x$)의 그래프와 직선 $y=k$의
　교점의 x좌표가 구하는 삼각방정식의 해이다.

7. 삼각부등식의 풀이
삼각방정식과 마찬가지로 그래프를 이용하여 푼다.

핵심 Note

다음 함수의 그래프를 그리고, 최댓값, 최솟값, 주기를 구하시오.

(1) $y = 2\sin\dfrac{x}{3}$

○ △ X

(2) $y = 2\cos 3x$

○ △ X

(3) $y = 5 \tan 2x$

다음 함수의 그래프를 그리고, 최댓값, 최솟값, 주기를 구하시오.

(1) $y = -3 \sin 2x$

(2) $y = 3 \cos \dfrac{x}{2}$

$(3)\ y = 2\tan\dfrac{x}{3}$

$\boxed{\text{O} \quad \triangle \quad \text{X}}$

다음 함수의 그래프를 그리고, 최댓값, 최솟값, 주기를 구하시오.

$(1)\ y = 2\sin\pi x + 1$

$\boxed{\text{O} \quad \triangle \quad \text{X}}$

$(2)\ y = \cos(2x - \pi) + 2$

$\boxed{\text{O} \quad \triangle \quad \text{X}}$

유제 8-2

다음 함수의 그래프를 그리고, 최댓값, 최솟값, 주기를 구하시오.

(1) $y=\cos\dfrac{1}{2}\left(x-\dfrac{2}{3}\pi\right)-1$ ⃝ △ ✕

(2) $y=\tan\left(\dfrac{x}{2}-\dfrac{\pi}{2}\right)$ ⃝ △ ✕

필수 예제 3

함수 $f(x)=a\sin bx+c$의 최댓값이 3, 주기가 π이고 $f\left(\dfrac{\pi}{12}\right)=1$일 때, $\dfrac{a}{b}$의 값을 구하시오. (단, a, b, c는 상수이고, $a>0$, $b>0$) ⃝ △ ✕

함수 $f(x) = a\cos 2x + b$의 최댓값이 1이고 $f\left(\dfrac{\pi}{3}\right) = -2$일 때, 두 상수 a, b의 곱 ab의 값을 구하시오. (단, $a > 0$)

○ △ X

함수 $f(x) = a\tan bx$의 주기가 $\dfrac{\pi}{3}$이고 $f\left(\dfrac{\pi}{12}\right) = 3$일 때, 두 상수 a, b의 합 $a + b$의 값을 구하시오. (단, $b > 0$)

○ △ X

함수 $f(x)=a\sin\left(x+\dfrac{\pi}{3}\right)+k$ 의 최솟값은 -5 이고 $f\left(-\dfrac{\pi}{6}\right)=4$ 일 때, 함수 $y=f(x)$ 의 최댓값을 구하시오. (단, $a>0$ 이고 k 는 상수이다.) 〔 ○ △ ✕ 〕

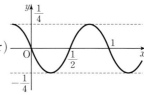

그림은 함수 $y=a\sin(bx-c)$ 의 그래프이다. 이때, $a+b+c$ 의 값을 구하시오.

(단, $a>0$, $b>0$, $0<c<2\pi$)

〔 ○ △ ✕ 〕

그림은 함수 $y=2\cos 2x$의 그래프이다.
이때, $a+b+c$의 값을 구하시오.

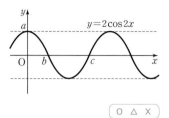

O △ X

그림은 함수 $y=\tan(ax-b)$의 그래프이다.
이때, ab의 값을 구하시오. (단, $a>0$, $0<b<\pi$)

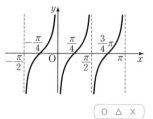

O △ X

다음 함수의 그래프를 그리고, 최댓값, 최솟값을 구하시오.

(1) $y = |\sin x|$

(2) $y = |\tan x|$

(3) $y = \cos |x|$

다음 함수의 그래프를 그리고, 최댓값, 최솟값을 구하시오.

(1) $y = |\cos 2x|$

(2) $y = 4\sin|x|$

(3) $y = -3\tan|x|$

유제 8-9

함수 $f(x) = a|\sin bx| + c$의 최댓값이 6, 주기가 $\dfrac{\pi}{3}$이고 $f\left(\dfrac{\pi}{3}\right) = 5$일 때, 세 상수 a, b, c 에 대하여 $2a+b+c$의 값을 구하시오. (단, $a>0$, $b<0$) ○ △ ✕

삼각함수의 그래프의 이해

핵심 Note

핵심 Note

다음 식의 값을 구하시오.

(1) $\tan 480° \sin 240° - \tan 300° \cos 330°$ ○ △ X

(2) $\sin \dfrac{5}{3}\pi + \cos(-3\pi) + \tan \dfrac{5}{4}\pi$ ○ △ X

유제 8-10

다음 식의 값을 구하시오.

(1) $\sin 1560° \tan 960° + \cos(-870°) \tan 330°$ ○ △ X

(2) $\sin\left(\dfrac{\pi}{2}+\theta\right)\cos(2\pi-\theta) + \sin^2(\pi+\theta) - \tan\theta \tan\left(\dfrac{3}{2}\pi+\theta\right)$ ○ △ X

(3) $\dfrac{\cos\left(\dfrac{\pi}{2}-\theta\right)\tan\left(\pi+\theta\right)}{\sin\left(\dfrac{3}{2}\pi+\theta\right)}+\dfrac{1}{\cos\left(\pi-\theta\right)\sin\left(\dfrac{3}{2}\pi-\theta\right)}$ ○ △ Ｘ

필수 예제 7

다음 식의 값을 구하시오.

(1) $\sin^2 1°+\sin^2 2°+\sin^2 3°+\cdots+\sin^2 88°+\sin^2 89°+\sin^2 90°$ ○ △ Ｘ

(2) $(\tan 15°+\tan 75°)^2-(\tan 15°+\tan 105°)^2$ ○ △ Ｘ

다음 식의 값을 구하시오.

(1) $(\sin 35° - \cos 35°)^2 + (\sin 55° + \cos 55°)^2$

〔 O △ X 〕

(2) $\tan 1° \times \tan 2° \times \tan 3° \times \cdots \times \tan 88° \times \tan 89°$

〔 O △ X 〕

필수 예제 8

다음 함수의 최댓값과 최솟값을 구하시오.

(1) $y = \sin^2 x + 2\cos x$

〔 O △ X 〕

(2) $y = \cos^2\left(x + \dfrac{\pi}{2}\right) - 3\cos^2 x - 4\sin x$

〔 O △ X 〕

다음 함수의 최댓값과 최솟값을 구하시오.

(1) $y = \cos^2 x + \sin(\pi - x) - 1$

○ △ X

(2) $y = \sin^2\left(\dfrac{3}{2}\pi - x\right) - 2\sin(\pi + x) + 1$

○ △ X

필수 예제 9

다음 함수의 최댓값과 최솟값을 구하시오.

(1) $y = |2\sin x - 1| + 2$

○ △ X

(2) $y = \dfrac{3\cos x - 4}{\cos x - 2}$

○ △ X

아름다운샘

다음 함수의 최댓값과 최솟값을 구하시오.

(1) $y = -2|\cos x + 2| + 5$

○ △ X

(2) $y = \dfrac{\sin x}{-\sin x + 2}$

○ △ X

3 삼각방정식과 삼각부등식

핵심 Note

다음 삼각방정식을 푸시오. (단, $0 \leq x < 2\pi$)

(1) $2 \sin x = -\sqrt{3}$

○ △ X

(2) $\sqrt{2} \cos x = 1$

○ △ X

(3) $\tan x + \sqrt{3} = 0$

○ △ X

다음 삼각방정식을 푸시오. (단, $0 \leq x < 2\pi$)

(1) $2\sin x = -1$

$\boxed{\text{O} \quad \triangle \quad \text{X}}$

(2) $2\cos x - 1 = 0$

$\boxed{\text{O} \quad \triangle \quad \text{X}}$

(3) $\sqrt{3}\tan x - 1 = 0$

$\boxed{\text{O} \quad \triangle \quad \text{X}}$

다음 삼각방정식을 푸시오. (단, $0 \leq x < 2\pi$)

(1) $2\sin^2 x = 3\cos x$

(2) $2\cos^2 x + 5\sin x - 4 = 0$

다음 삼각방정식을 푸시오. (단, $0 \leq x < 2\pi$)

(1) $\cos^2 x + 2\sin x - 1 = 0$

(2) $2\sin^2 x - 3\cos x = 3$

$0 \leq x < 2\pi$일 때, 방정식 $2\cos^2 x + \cos\left(\dfrac{3}{2}\pi - x\right) + 1 = 0$을 푸시오.

○ △ X

다음 삼각부등식을 푸시오. (단, $0 \leq x < 2\pi$)

(1) $2\sin x - 1 > 0$

○ △ X

(2) $2\sin^2 x - 3\cos x < 0$

○ △ X

다음 삼각부등식을 푸시오. (단, $0 \le x < 2\pi$)

(1) $\sqrt{2}\cos x \ge 1$ (○ △ X)

(2) $\tan x < -1$ (○ △ X)

삼각부등식 $-2\cos^2 x + (4-\sqrt{3})\sin x - 2\sqrt{3} + 2 \ge 0$을 푸시오. (단, $0 \le x < 2\pi$)   (○ △ X)

발전 예제 13

다음 물음에 답하시오.

(1) $0 \leq x < 2\pi$일 때, 방정식 $\sin 2x = \dfrac{1}{2}$을 푸시오.　　　　○ △ X

(2) $0 \leq x \leq 2\pi$일 때, 부등식 $\cos\left(x - \dfrac{\pi}{6}\right) \leq -\dfrac{1}{2}$을 푸시오.　　　　○ △ X

$0 \leq x < 2\pi$일 때, 방정식 $\sqrt{2}\cos\dfrac{x}{2} - 1 = 0$을 푸시오.　　　　○ △ X

$0 \le x \le 2\pi$일 때, 부등식 $\tan\left(x+\dfrac{\pi}{3}\right) < 1$을 푸시오.　　　○ △ X

발전 예제 14

$0 \le \theta \le 2\pi$에서 모든 실수 x에 대하여 부등식 $x^2 - 2x\sin\theta + 2\sin\theta > 0$이 항상 성립하도록 하는 θ의 값의 범위를 구하시오.　　　○ △ X

x에 대한 이차방정식 $x^2-2x\cos\theta+\cos^2\theta+2\sin\theta-1=0$이 허근을 가질 때, θ의 값의 범위는 $\alpha<\theta<\beta$이다. 이때, $\sin(\beta-\alpha)$의 값을 구하시오. (단, $0\leq\alpha\leq\pi$)   ○ △ X

x에 대한 이차방정식 $x^2-3x+\sin^2\theta-3\cos^2\theta=0$이 서로 다른 부호의 두 실근을 갖도록 하는 θ의 값의 범위를 구하시오. (단, $0\leq\theta\leq2\pi$)   ○ △ X

09 삼각함수의 활용

1. **사인법칙과 코사인법칙**
   ① 사인법칙
   ② 제일 코사인법칙
   ③ 제이 코사인법칙

2. **삼각형의 넓이**
   ① 삼각형의 넓이
   ② 평행사변형의 넓이

1. 사인법칙

삼각형 ABC의 외접원의 반지름의 길이를 R라 하면

(1) $\dfrac{a}{\sin A} = \dfrac{b}{\sin B} = \dfrac{c}{\sin C} = 2R$

(2) $a : b : c = \sin A : \sin B : \sin C$

2. 제일 코사인법칙

(1) $a = b\cos C + c\cos B$

(2) $b = c\cos A + a\cos C$

(3) $c = a\cos B + b\cos A$

3. 제이 코사인법칙

(1) $a^2 = b^2 + c^2 - 2bc\cos A$

(2) $b^2 = c^2 + a^2 - 2ca\cos B$

(3) $c^2 = a^2 + b^2 - 2ab\cos C$

4. 제이 코사인법칙의 변형

(1) $\cos A = \dfrac{b^2 + c^2 - a^2}{2bc}$

(2) $\cos B = \dfrac{c^2 + a^2 - b^2}{2ca}$

(3) $\cos C = \dfrac{a^2 + b^2 - c^2}{2ab}$

5. 삼각형의 넓이

삼각형 ABC의 넓이 S는

(1) $S = \dfrac{1}{2}ab\sin C = \dfrac{1}{2}bc\sin A = \dfrac{1}{2}ca\sin B$

(2) 세 변의 길이를 알 때 (헤론의 공식)

$$S = \sqrt{s(s-a)(s-b)(s-c)} \left(\text{단, } s = \dfrac{1}{2}(a+b+c)\right)$$

6. 평행사변형의 넓이

이웃하는 두 변의 길이가 a, b이고 그 끼인각의 크기가 θ일 때, 평행사변형의 넓이 S는

$$S = ab\sin\theta$$

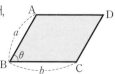

1 사인법칙과 코사인법칙

핵심 Note

필수 예제 1

삼각형 ABC에서 다음을 구하시오.

(1) $b=10$, $c=10\sqrt{3}$, $\angle C=120°$일 때, $\angle B$의 크기와 a의 값   ○ △ X

(2) $\angle B=60°$, $\angle C=45°$, $b=2\sqrt{3}$일 때, c의 값과 외접원의 반지름의 길이 R ○ △ X

아름다운샘

삼각형 ABC에서 다음을 구하시오.

(1) $b=2$, $c=\sqrt{6}$, $\angle B=45°$일 때, $\angle A$의 크기 (단, $0° < \angle C < 90°$)   ○ △ ✕

(2) $b=3$, $\angle A=45°$, $\angle C=75°$일 때, a의 값과 외접원의 넓이 S ○ △ ✕

$\angle A=120°$인 이등변삼각형 ABC의 외접원의 반지름의 길이가 6일 때, 이 삼각형의 세 변의 길이의 합을 구하시오.   ○ △ ✕

삼각형 ABC에서 다음 물음에 답하시오.

(1) $a=4$, $b=5$, $c=6$일 때, $\sin(A+B):\sin(B+C):\sin(C+A)$를 구하시오.

(2) $A:B:C=1:3:2$일 때, $a:b:c$를 구하시오.

삼각형 ABC에서 다음 물음에 답하시오.

(1) $(a+b):(b+c):(c+a)=5:6:7$일 때, $\sin A:\sin B:\sin C$를 구하시오.

(2) $A:B:C=1:4:1$일 때, $\dfrac{b^2}{ac}$의 값을 구하시오.

그림과 같이 200 m 떨어진 두 지점 B, C와 호수 끝의 한 지점 A를 이은 선분이 선분 BC와 이루는 각의 크기가 각각 40°, 110°이다. A지점에서 C지점까지의 거리를 구하시오.

(단, $\sin 40° = 0.64$로 계산한다.)

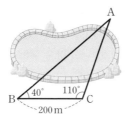

(O △ X)

그림은 어떤 학생이 건물 꼭대기를 올려다본 각도를 나타낸 것이다. 이 학생이 A지점에서 건물을 올려다본 각의 크기가 30°이고, 건물 방향으로 $20\sqrt{2}$ m 걸어간 B지점에서 건물을 올려다본 각의 크기가 45°일 때, 이 건물의 높이를 구하시오. (단, 이 학생의 눈의 높이는 1.5 m이고, $\sin 15° = 0.25$로 계산한다.)

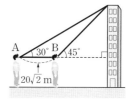

(O △ X)

유제 9-5

반지름의 길이가 6 m인 원 모양의 연못이 있다. 연못가의 세 지점 A, B, C에 대하여
∠CAB=20°, ∠CBA=10°일 때, 두 지점 A, B 사이의 거리를 구하시오. ○ △ X

필수 예제 4

그림과 같은 삼각형 ABC에서
$$∠B=30°, ∠C=45°, \overline{AC}=10$$
일 때, a의 값을 구하시오.

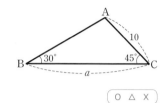

○ △ X

유제 9-6

그림과 같은 삼각형 ABC에서

$\angle B=45°$, $\angle C=75°$, $\overline{AC}=\sqrt{3}$

일 때, c의 값을 구하시오.

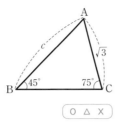

○ △ X

그림과 같은 삼각형 ABC에서 변 BC 위의 점 P에 대하여 $\overline{AP}=\overline{BP}$이고 $\angle APC=45°$, $\angle C=30°$, $\overline{AC}=\sqrt{2}$일 때, $\overline{AB}^2$의 값을 구하시오.

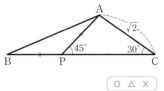

○ △ X

그림과 같은 삼각형 ABC에서
$\overline{AB}=7$, $\overline{AC}=5$, $\angle A=60°$
일 때, a의 값을 구하시오.

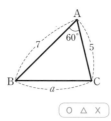

○ △ X

그림과 같은 삼각형 ABC에서 $\overline{AB}=2\sqrt{2}$,
$\overline{BC}=6$, $\angle B=45°$이다. 변 BC를 2 : 1로 내분하는 점을
D라 할 때, 선분 AD의 길이를 구하시오.

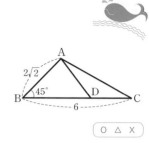

○ △ X

삼각형 ABC에서 $a+b=12$, $b+c=10$, $c+a=8$일 때, 최대각의 크기를 구하시오.

○ △ ✕

삼각형 ABC에서 다음 물음에 답하시오.

(1) $a=7$, $b=4$, $c=6$일 때, 최대각의 크기는 θ이다. $\cos\theta$의 값을 구하시오.

○ △ ✕

(2) $a=1$, $b=5$, $c=3\sqrt{2}$일 때, $\sin C$의 값을 구하시오.

○ △ ✕

삼각형 ABC에서 $6\sin A = 2\sqrt{3}\sin B = 3\sin C$가 성립할 때, $\angle A$의 크기를 구하시오.

(O △ X)

필수 예제 7

그림과 같이 건물 C와 두 건물 A, B 사이의 거리가 각각 300 m, 500 m이고 $\angle ACB = 120°$이었다. 이때, 두 건물 A, B 사이의 거리를 구하시오.

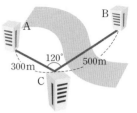

(O △ X)

어느 도시 외곽을 지나는 원 모양의 순환 도로가 있다. 그림과 같이 이 도로 위의 네 지점 A, B, C, D를 정하고 각 지점 사이에 직선으로 연결된 도로의 길이를 구했더니 $\overline{AB}=3\,km$, $\overline{BC}=5\,km$, $\overline{CA}=7\,km$이었다. 이때, $\angle ADC$의 크기를 구하시오.

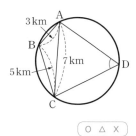

O △ X

그림과 같이 세 변의 길이가 각각 $8\,cm$, $9\,cm$, $10\,cm$인 삼각형 모양의 색종이가 있다. 이 색종이를 길이가 $8\,cm$, $10\,cm$인 두 모서리가 서로 겹쳐지도록 접은 다음 펼쳤을 때, 접힌 자국의 길이를 구하시오.

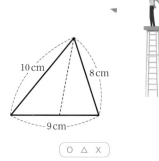

O △ X

필수 예제 8

삼각형 ABC에서 $\sin A = \sin B \cos C$가 성립할 때, 이 삼각형은 어떤 삼각형인지 구하시오.

○ △ X

유제 9-13

삼각형 ABC에서 다음이 성립할 때, 이 삼각형은 어떤 삼각형인지 구하시오.

(1) $a \sin A = b \sin B + c \sin C$

○ △ X

(2) $\cos A : \cos B = b : a$

○ △ X

2 삼각형의 넓이

삼각형 ABC에 대하여 다음을 구하시오.

(1) $\overline{AB}=6$, $\overline{AC}=4$이고 넓이가 $6\sqrt{3}$일 때, $\angle A$의 크기 (단, $0°<\angle A\leq90°$)

◯ △ ✕

(2) $a=9$, $b+c=10$, $\angle A=120°$일 때, 삼각형 ABC의 넓이

◯ △ ✕

그림과 같은 삼각형 ABC에서 ∠A=120°이고 선분 AD는
∠A를 이등분한다. 이때, 변 AB의 길이를 구하시오.

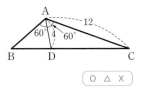

○ △ X

그림과 같이 세 변의 길이가 2, 4, 3인 삼각형 ABC에서 변 BC를
한 변으로 하는 정사각형 BDEC를 만들었다. 이때, 삼각형 ABD의
넓이를 구하시오.

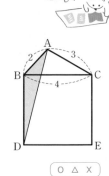

○ △ X

그림과 같이 세 변의 길이가 각각 $a=7$, $b=4$, $c=5$인 삼각형 ABC의 넓이를 구하시오.

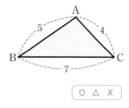

○ △ X

그림과 같이 삼각형 ABC에서 $\overline{AB}=7$, $\overline{BC}=8$, $\overline{CA}=5$일 때, 삼각형 ABC의 넓이를 구하시오.

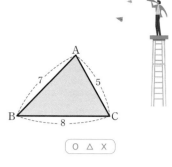

○ △ X

아름다운 샘

한 변의 길이가 2인 정삼각형에 내접하는 원의 반지름의 길이 r와 외접하는 원의 반지름의 길이 R를 구하시오.

(O △ X)

필수 예제 11

그림과 같이 $\overline{AB}=\overline{BC}=3$, $\overline{CD}=5$, $\overline{AD}=8$이고 $\angle C=120°$인 사각형 ABCD의 넓이를 구하시오.

(O △ X)

그림과 같이 원에 내접하는 사각형 ABCD에서
$\overline{AB}=10$, $\overline{BC}=6$, $\overline{CD}=4$, $\overline{DA}=6$, $\angle C=120°$
일 때, 사각형 ABCD의 넓이를 구하시오.

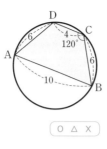

◯ △ ✕

그림과 같이 오각형 ABCDE의 내부에 한 변의 길이가 각각
3, 5인 정사각형이 들어 있다. 이때, 이 오각형의 넓이를 구하시
오.

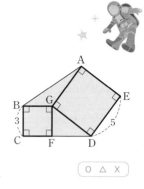

◯ △ ✕

필수 예제 12

다음 물음에 답하시오.

(1) 평행사변형 ABCD에서 $\overline{AC}=\sqrt{6}$, $\overline{BD}=2\sqrt{3}$, $\angle B=60°$일 때, 사각형 ABCD의 넓이를 구하시오. (O △ X)

(2) 사각형 ABCD의 두 대각선 BD, AC의 길이가 각각 4, 5이고 이들이 이루는 각 중에서 작은 각의 크기가 $60°$일 때, 이 사각형의 넓이를 구하시오. (O △ X)

유제 9-20

$\overline{AB}=6$, $\angle B=45°$인 평행사변형 ABCD의 넓이가 $21\sqrt{2}$일 때, 변 BC의 길이를 구하시오. (O △ X)

아름다운 샘

사각형 ABCD의 넓이가 50일 때, 대각선 AC의 길이를 10 %만큼 줄이고, 대각선 BD의 길이를 20 %만큼 늘여서 만들어지는 새로운 사각형의 넓이를 구하시오.

(단, 두 사각형의 대각선이 이루는 각의 크기는 같다.)

○ △ X

10 등차수열

1. **수열의 뜻**
   ① 수열의 뜻과 일반항
   ② 유한수열, 무한수열

2. **등차수열**
   ① 등차수열의 뜻
   ② 등차수열의 일반항
   ③ 등차중항

3. **등차수열의 합**
   ① 등차수열의 합
   ② a_n과 S_n의 관계

1. 수열의 뜻과 일반항

(1) 수열: 어떤 규칙에 따라 차례로 나열된 수의 열

(2) 항: 수열을 이루고 있는 각각의 수

(3) 일반항: 수열의 제 n 항

2. 등차수열

(1) 등차수열: 첫째항부터 차례로 일정한 수를 더하여 얻어지는 수열

(2) 공차: 등차수열에서 더하여지는 일정한 수

(3) 등차수열의 일반항: 첫째항이 a이고, 공차가 d인 등차수열의 일반항 a_n은

➡ $a_n = a + (n-1)d$

(4) 수열 $\{a_n\}$이 공차가 d인 등차수열이면

$$a_{n+1} = a_n + d \Longleftrightarrow a_{n+1} - a_n = d$$

3. 등차중항

세 수 a, b, c가 이 순서로 등차수열을 이룰 때, b를 a와 c의 등차중항이라고 한다. 이때,

$$2b = a + c \Longleftrightarrow b = \frac{a+c}{2}$$

가 성립한다.

4. 등차수열의 합

등차수열의 첫째항부터 제 n 항까지의 합 S_n은

(1) 첫째항이 a, 제 n 항이 l일 때,

$$S_n = \frac{n(a+l)}{2}$$

(2) 첫째항이 a, 공차가 d일 때,

$$S_n = \frac{n\{2a + (n-1)d\}}{2}$$

5. a_n과 S_n의 관계

수열 $\{a_n\}$의 첫째항부터 제 n 항까지의 합 S_n은

$a_1 = S_1$

$a_n = S_n - S_{n-1}$ (단, $n \geq 2$)

1 수열의 뜻

핵심 Note.

필수 예제 1

다음 수열의 규칙을 알아보고, 제5항과 제7항을 구하시오.

(1) $1,\ 7,\ 13,\ 19,\ \cdots$ ○ △ ✕

(2) $5,\ -5,\ 5,\ -5,\ \cdots$ ○ △ ✕

(3) $\dfrac{1}{2},\ \dfrac{2}{3},\ \dfrac{3}{4},\ \dfrac{4}{5},\ \cdots$ ○ △ ✕

아름다운샘

다음 수열의 규칙을 알아보고, 제 6항과 제 n항을 구하시오.

(1) $-3,\ 9,\ -27,\ 81,\ -243,\ \cdots$ $\quad$ (○ △ X)

(2) $0,\ 1,\ 4,\ 9,\ 16,\ \cdots$ $\quad$ (○ △ X)

(3) $1,\ \dfrac{3}{2},\ \dfrac{5}{3},\ \dfrac{7}{4},\ \dfrac{9}{5},\ \cdots$ $\quad$ (○ △ X)

필수 예제 2

다음 수열의 일반항 a_n을 구하시오.

(1) $1,\ 8,\ 27,\ 64,\ \cdots$ $\quad$ (○ △ X)

(2) $2\times 3,\ 3\times 4,\ 4\times 5,\ 5\times 6,\ \cdots$ $\quad$ (○ △ X)

(3) $-1,\ 2,\ -3,\ 4,\ \cdots$ $\quad$ (○ △ X)

다음 수열의 일반항 a_n을 구하시오.

(1) 2, 4, 2, 4, 2, 4, $\cdots$ (O △ X)

(2) 1×2, 2×4, 3×8, 4×16, 5×32, $\cdots$ (O △ X)

(3) 1, $-\dfrac{1}{2}$, $\dfrac{1}{3}$, $-\dfrac{1}{4}$, $\cdots$ (O △ X)

(4) 1, 11, 111, 1111, $\cdots$ (O △ X)

2 등차수열

핵심 Note

다음 등차수열의 일반항 a_n을 구하시오.

(1) 5, 8, 11, 14, … 〇 △ X

(2) 4, 1, -2, -5, … 〇 △ X

(3) 첫째항이 7, 둘째항이 5 O △ X

(4) 첫째항이 −3, 제5항이 13 O △ X

유제 10-3

다음 등차수열의 일반항 a_n을 구하시오.

(1) 2, −2, −6, −10, ⋯ O △ X

(2) $-\dfrac{1}{2}$, 0, $\dfrac{1}{2}$, 1, ⋯ O △ X

(3) 첫째항이 $\log 4$, 제3항이 $\log 16$ ◯ △ ✕

(4) 공차가 -2, 제9항이 -15 ◯ △ ✕

2와 406 사이에 100개의 수 a_1, a_2, a_3, $\cdots$, a_{100}을 넣어 만든 수열

$\quad$ 2, a_1, a_2, a_3, $\cdots$, a_{100}, 406

이 이 순서로 등차수열을 이루도록 할 때, 이 수열의 공차를 구하시오. ◯ △ ✕

제 4항이 23, 제 7항이 44인 등차수열 $\{a_n\}$에 대하여 다음 물음에 답하시오.

(1) 첫째항과 공차를 구하시오.   (○ △ X)

(2) 제 50항을 구하시오.   (○ △ X)

(3) 562는 제 몇 항인지 구하시오.   (○ △ X)

등차수열 $\{a_n\}$에 대하여 $a_{20}=12$, $a_{31}=-10$일 때, $a_k=-148$을 만족시키는 k의 값을 구하시오.
   (○ △ X)

등차수열 $\{a_n\}$의 제3항과 제8항은 절댓값이 같고, 부호가 반대이며, 제5항은 -4일 때, 일반항 a_n을 구하시오. $\boxed{\text{O} \ \triangle \ \text{X}}$

필수 예제 5

등차수열 $\{a_n\}$이 다음을 만족시킬 때, 일반항 a_n을 구하시오.

(1) $a_2 + a_3 = -18$, $a_4 + a_6 = -38$ $\boxed{\text{O} \ \triangle \ \text{X}}$

(2) $a_9 = 7a_5$, $a_3 + a_7 = 8$ $\boxed{\text{O} \ \triangle \ \text{X}}$

아름다운 샘

등차수열 $\{a_n\}$에서 $a_2+a_5=9$, $a_{10}-a_3=21$일 때, a_{20}을 구하시오.　○ △ X

등차수열 $\{a_n\}$에서 $a_2=9$, $a_5 : a_{10}=3 : 5$일 때, a_{25}를 구하시오.　○ △ X

필수 예제 6

등차수열 $\{a_n\}$의 제3항이 94, 제10항이 73일 때, 처음으로 음수가 되는 항은 제 몇 항인지 구하시오.　○ △ X

유제 10-9

등차수열 $\{a_n\}$의 제5항이 -19, 제9항이 -11일 때, 처음으로 양수가 되는 항은 제 몇 항인지 구하시오.　○ △ X

등차수열 $\{a_n\}$에서 $a_7=24$, $a_5 : a_{15}=3 : 8$일 때, 제 n항에서 처음으로 200보다 커진다. 이때, n의 값을 구하시오. ○ △ ✕

필수 예제 7

표의 가로줄과 세로줄에 있는 세 수가 각각 등차수열을 이룰 때, $a+b+c$의 값을 구하시오.

21	a	b
c		33
15	25	d

○ △ ✕

세 수 x, $3x-1$, $4x+3$이 이 순서로 등차수열을 이루게 하는 x의 값을 구하시오.

○ △ X

세 수 $\log_2 (x-2)$, $\log_2 x$, $\log_2 (x+3)$이 이 순서로 등차수열을 이루게 하는 x의 값을 구하시오.

○ △ X

필수 예제 8

등차수열을 이루는 세 수의 합이 18이고 곱이 192일 때, 이 세 수를 구하시오. ○ △ X

유제 10-13

세 자연수 a, b, c가 이 순서로 등차수열을 이루고 이 세 수의 합이 21, 곱이 231일 때, 세 자연수 a, b, c의 값을 구하시오. ○ △ X

유제 10-14

등차수열을 이루는 네 수의 합이 36이고, 가운데 두 수의 곱이 처음 수와 마지막 수의 곱보다 72 크다고 할 때, 이 네 수를 구하시오. （ ○ △ X ）

③ 등차수열의 합

핵심 Note

다음 물음에 답하시오.

(1) 제2항이 5, 제5항이 11인 등차수열의 첫째항부터 제12항까지의 합을 구하시오.

○ △ X

(2) 첫째항이 8이고 첫째항부터 제6항까지의 합이 93인 등차수열의 첫째항부터
제10항까지의 합을 구하시오.

○ △ X

$a_4 = 16$, $a_{10} = 28$인 등차수열 $\{a_n\}$에서 첫째항부터 제15항까지의 합을 구하시오.

○ △ X

등차수열 27, 23, 19, 15, …에서 제11항부터 제20항까지의 합을 구하시오. ◯ △ ✕

필수 예제 10

12와 75 사이에 n개의 수 a_1, a_2, $\cdots$, a_n을 넣어 등차수열 12, a_1, a_2, $\cdots$, a_n, 75를 만들 때, 다음 물음에 답하시오.

(1) 이 수열의 공차가 3일 때, n의 값을 구하시오. ◯ △ ✕

(2) 이 수열의 합이 435일 때, 공차 d와 n의 값을 구하시오. ◯ △ ✕

두 수 3과 79 사이에 n개의 수를 넣어서 만든 수열

    $3,\ x_1,\ x_2,\ x_3,\ \cdots,\ x_n,\ 79$

가 이 순서로 등차수열을 이룬다. 이 수열의 모든 항의 합이 820일 때, 이 수열의 공차를 구하시오. ○ △ X

필수 예제 11

등차수열 $\{a_n\}$의 첫째항부터 제n항까지의 합을 S_n이라 할 때, $S_{10}=115$, $S_{20}=430$이다. 이때, S_{30}의 값을 구하시오. ○ △ X

등차수열 $\{a_n\}$의 첫째항부터 제5항까지의 합이 50, 제6항부터 제10항까지의 합이 125이다. 이때, 제11항부터 제15항까지의 합을 구하시오. (○ △ X)

필수 예제 12

첫째항이 22이고, 공차가 -4인 등차수열에 대하여 다음 물음에 답하시오.

(1) 이 수열에서 처음으로 음수가 나오는 항은 제 몇 항인지 구하시오. (○ △ X)

(2) 첫째항부터 제 몇 항까지의 합이 최대가 되는지 구하고, 그 최댓값을 구하시오. (○ △ X)

(3) 첫째항부터 제 몇 항까지의 합이 처음으로 음수가 되는지 구하시오. ⓞ △ Ⅹ

첫째항이 −63이고 첫째항부터 제4항까지의 합이 −216인 등차수열에 대하여 다음 물음에 답하시오.

(1) 이 수열에서 처음으로 양수가 나오는 항은 제 몇 항인지 구하시오. ⓞ △ Ⅹ

(2) 첫째항부터 제 몇 항까지의 합이 최소가 되는지 구하고, 그 최솟값을 구하시오.
ⓞ △ Ⅹ

(3) 첫째항부터 제 몇 항까지의 합이 처음으로 양수가 되는지 구하시오. ⟨ O △ X ⟩

필수 예제 13

수열 $\{a_n\}$의 첫째항부터 제 n항까지의 합 S_n이 다음과 같을 때, 일반항 a_n을 구하시오.

(1) $S_n = 3n^2 - 2n$ ⟨ O △ X ⟩

(2) $S_n = 2n^2 + n + 1$ ⟨ O △ X ⟩

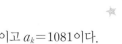

유제 10-**20**

수열 $\{a_n\}$의 첫째항부터 제 n항까지의 합 S_n이 다음과 같을 때, 일반항 a_n을 구하시오.

(1) $S_n = 2n^2 - 7n$ ○ △ X

(2) $S_n = -n^2 + 5n + 7$ ○ △ X

유제 10-**21**

수열 $\{a_n\}$의 첫째항부터 제 n항까지의 합이 $S_n = (n+1)^2$이고 $a_k = 1081$이다. $k - a_1$의 값을 구하시오.   ○ △ X

곡선 $y=x^2$과 직선 $y=3x+2n$이 만나는 두 점을 이은 선분의 길이를 l_n이라 할 때, $l_1{}^2+l_2{}^2+l_3{}^2+\cdots+l_{10}{}^2$의 값을 구하시오. (단, n은 자연수이다.)

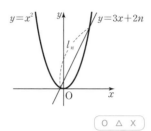

$\boxed{\text{O } \triangle \text{ X}}$

그림과 같이 반지름의 길이가 15인 원을 5개의 부채꼴로 나누었더니 부채꼴의 넓이가 작은 것부터 차례로 등차수열을 이루었다. 가장 큰 부채꼴의 넓이가 가장 작은 부채꼴의 넓이의 2배이고 가장 큰 부채꼴의 넓이가 $k\pi$일 때, k의 값을 구하시오.

$\boxed{\text{O } \triangle \text{ X}}$

11
등비수열

1. 등비수열
  ① 등비수열의 뜻
  ② 등비수열의 일반항
  ③ 등비중항

2. 등비수열의 합
  ① 등비수열의 합
  ② 등비수열의 응용 – 원리합계

1. 등비수열

(1) 등비수열: 첫째항부터 차례로 일정한 수를 곱하여 얻어지는 수열

(2) 공비: 등비수열에서 곱하여지는 일정한 수

(3) 등비수열의 일반항: 첫째항이 a이고 공비가 r인 등비수열의 일반항 a_n은

  ➡ $a_n = ar^{n-1}$

(4) 수열 $\{a_n\}$이 공비가 r인 등비수열이면

$$a_{n+1} = ra_n \Longleftrightarrow \frac{a_{n+1}}{a_n} = r$$

2. 등비중항

세 수 a, b, c가 이 순서로 등비수열을 이룰 때, b를 a와 c의 등비중항이라고
한다. 이때,

$$b^2 = ac$$

가 성립한다.

3. 등비수열의 합

첫째항이 a, 공비가 r인 등비수열의 첫째항부터 제 n 항까지의 합 S_n은

(1) $r \neq 1$일 때, $S_n = \dfrac{a(1-r^n)}{1-r} = \dfrac{a(r^n-1)}{r-1}$

(2) $r = 1$일 때, $S_n = na$

4. 등비수열의 합의 응용

(1) 원금 a원을 연이율 r인 복리법으로 n년간 예금할 때, 원리합계 S는

  $S = a(1+r)^n$

(2) 연이율 r, 1년마다의 복리로 매년 초에 a원씩 적립할 때, n년 말의
원리합계 S는

$$S = a(1+r) + a(1+r)^2 + \cdots + a(1+r)^n$$
$$= \frac{a(1+r)\{(1+r)^n - 1\}}{r}$$

핵심 Note

필수 예제 1

다음 등비수열의 일반항 a_n을 구하시오.

(1) $2, \ 6, \ 18, \ 54, \ \cdots$ (O △ X)

(2) $-4, \ 2, \ -1, \ \dfrac{1}{2}, \ \cdots$ (O △ X)

아름다운샘

(3) 첫째항이 27, 둘째항이 -9 $\boxed{\text{O} \ \triangle \ \text{X}}$

다음 등비수열의 일반항 a_n을 구하시오. (단, r는 공비이다.)

(1) $\dfrac{3}{2}, \ \dfrac{9}{4}, \ \dfrac{27}{8}, \ \dfrac{81}{16}, \ \cdots$ $\boxed{\text{O} \ \triangle \ \text{X}}$

(4) 공비가 2, 제7항이 16 $\boxed{\text{O} \ \triangle \ \text{X}}$

(2) $\sqrt{2}+1, \ 1, \ \sqrt{2}-1, \ 3-2\sqrt{2}, \ \cdots$ $\boxed{\text{O} \ \triangle \ \text{X}}$

(3) $a_1 = \dfrac{1}{\sqrt{2}}$, $a_4 = 2$　　　$\boxed{\text{O △ X}}$

(4) $a_5 = 18$, $r = \sqrt{3}$　　　$\boxed{\text{O △ X}}$

등비수열 $\{a_n\}$에서 제 4 항이 24, 제 7 항이 192일 때, 다음 물음에 답하시오.

(1) 첫째항과 공비를 구하시오.　　　$\boxed{\text{O △ X}}$

(2) 제 6 항을 구하시오.　　　$\boxed{\text{O △ X}}$

(3) 768은 제 몇 항인지 구하시오.　　　$\boxed{\text{O △ X}}$

등비수열 $\{a_n\}$에서 $a_2=-6$, $a_5=162$일 때, a_n을 구하시오.

○ △ X

수열 $\{\log_2 a_n\}$이 공차가 3인 등차수열이고 $a_2=1$일 때, a_5를 구하시오.

○ △ X

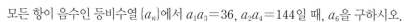

필수 예제 3

공비가 양수인 등비수열 $\{a_n\}$이 다음을 만족시킬 때, 일반항 a_n을 구하시오.

(1) $a_9 = 27a_6$, $a_3 + a_5 = 180$ 〔O △ X〕

(2) $a_1 + a_4 = 9$, $a_3 + a_6 = 36$ 〔O △ X〕

유제 11-4

모든 항이 음수인 등비수열 $\{a_n\}$에서 $a_1a_3 = 36$, $a_2a_4 = 144$일 때, a_6을 구하시오.
〔O △ X〕

유제 11-5

모든 항이 양수인 등비수열 $\{a_n\}$에 대하여 $a_3 + a_5 = 18$, $a_2a_4 = 36$일 때, a_9를 구하시오.
〔O △ X〕

필수 예제 4

두 수 12와 972 사이에 서로 다른 세 양수 x, y, z를 넣어서 만든 수열

$$12,\ x,\ y,\ z,\ 972$$

가 이 순서로 등비수열을 이룰 때, $z - x$의 값을 구하시오.   (O △ X)

유제 11-6

두 수 2와 128 사이에 8개의 실수 x_1, x_2, $\cdots$, x_8을 넣어서 만든 수열

$$2,\ x_1,\ x_2,\ \cdots,\ x_8,\ 128$$

이 이 순서로 등비수열을 이룰 때, x_3의 값을 구하시오.   (O △ X)

두 수 3과 48 사이에 세 개의 실수를 넣어서 만든 다섯 개의 수가 차례대로 등비수열을 이룰 때, 이 세 실수를 구하시오. ○ △ X

세 수 3, x, y가 이 순서로 등비수열을 이루고, 세 수 x, y, 18이 이 순서로 등차수열을 이룰 때, $2x-y$의 값을 구하시오. (단, $x>0$, $y>0$) ○ △ X

유제 11-8

세 수 $x-7$, $x+5$, $2x$가 이 순서로 등비수열을 이룰 때, x의 값을 구하시오. (단, $x>0$)

○ △ X

필수 예제 6

제2항이 2, 제5항이 54인 등비수열 $\{a_n\}$이 처음으로 20000 이상이 되는 항은 제 몇 항인지 구하시오. (단, $\log 3=0.4771$로 계산한다.)

○ △ X

유제 11-9

세 수 x, 4, y가 이 순서로 등비수열을 이루고, 세 수 $x-1$, 3, $y-3$이 이 순서로 등차수열을 이룰 때, x^2+y^2의 값을 구하시오.

○ △ X

공비가 양수이고 $a_2=2$, $a_7 : a_9 = 4 : 1$인 등비수열 $\{a_n\}$이 처음으로 $\dfrac{1}{10000}$보다 작아지는

항은 제 몇 항인지 구하시오. (단, $\log 2 = 0.3010$으로 계산한다.)   ○ △ X

필수 예제 7

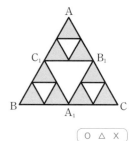

그림과 같이 한 변의 길이가 2인 정삼각형 모양의 색종이가 있다. 이 정삼각형 ABC의 각 변의 중점을 이어서 만든 정삼각형 $A_1B_1C_1$을 오려낸다. 다시 나머지 3개의 정삼각형 모양에서도 각 변의 중점을 연결하여 만든 정삼각형 3개를 오려낸다. 이와 같은 방법을 처음부터 10회 반복시행한 후 남아 있는 종이의 넓이를 구하시오.

○ △ X

아름다운 샘

길이가 1인 끈이 있다. 이를 1차 시행에서 3등분하여 가운데 끈을 버리고, 2차 시행에서 나머지 두 개의 끈을 각각 3등분하여 가운데 끈 2개를 버린다. 이와 같이 3등분하여 가운데 끈을 버리는 시행을 반복할 때, 10차 시행 동안 버려진 끈의 길이를 구하시오. ○ △ ✕

〈1차 시행〉　　　〈2차 시행〉　　…

등비수열의 합

핵심 Note

필수 예제 8

다음 등비수열의 합 S를 구하시오.

(1) $\sqrt{2}+2+2\sqrt{2}+4+4\sqrt{2}+\cdots+128$ ◯ △ X

(2) $\log 10+\log 10^3+\log 10^9+\cdots+\log 10^{3^n}$ ◯ △ X

유제 11-12

다음 등비수열의 합 S를 구하시오.

(1) $(\sqrt{2}-1)+(2-\sqrt{2})+(2\sqrt{2}-2)+(4-2\sqrt{2})+\cdots+(\text{제 }20\text{항})$ ◯ △ X

(2) $0.5+0.05+0.005+\cdots+(\text{제 }n\text{항})$ ◯ △ X

(3) $\log 10^2+\log 10^4+\log 10^8+\cdots+(\text{제 }10\text{항})$ ◯ △ X

필수 예제 9

등비수열 $\{a_n\}$의 첫째항부터 제 n항까지의 합을 S_n이라 할 때, $S_4=5$, $S_8=15$이다. 이때, S_{12}의 값을 구하시오. (○ △ X)

유제 11- **13**

첫째항부터 제3항까지의 합이 1이고 첫째항부터 제6항까지의 합이 4인 등비수열에서 첫째항부터 제9항까지의 합을 구하시오. (○ △ X)

첫째항이 2, 공비가 3인 등비수열에서 첫째항부터 제 몇 항까지의 합이 처음으로 100000보다 커지게 되는지 구하시오. (단, $\log 3 = 0.4771$로 계산한다.) ○ △ X

등비수열 1, 2, 4, 8, …에서 첫째항부터 제 몇 항까지의 합이 처음으로 2000보다 커지게 되는지 구하시오. (단, $\log 2 = 0.301$로 계산한다.) ○ △ X

유제 11-15

등비수열 1, $\dfrac{1}{2}$, $\dfrac{1}{4}$, …의 첫째항부터 제 n 항까지의 합을 S_n이라 할 때,

$|2-S_n|<10^{-5}$을 만족시키는 자연수 n의 최솟값을 구하시오.

(단, $\log 2=0.3$으로 계산한다.)

○ △ X

수열 $\{a_n\}$의 첫째항부터 제 n 항까지의 합 S_n이 다음과 같을 때, 일반항 a_n을 구하시오.

(1) $S_n=5^n-1$

○ △ X

(2) $S_n=2^n+3$

○ △ X

아름다운샘

유제 11-16

수열 $\{a_n\}$의 첫째항부터 제n항까지의 합 S_n이 $S_n = 2 \times 3^n - k$로 나타내어질 때, 수열 $\{a_n\}$이 첫째항부터 등비수열이 되기 위한 상수 k의 값을 구하시오.   ○ △ X

필수 예제 12

연이율 4 %, 1년마다 복리로 매년 초에 10만 원씩 적립할 때, 10년 후의 원리합계를 구하시오. (단, $1.04^{10} = 1.48$로 계산한다.)   ○ △ X

유제 11-17

수열 $\{a_n\}$의 첫째항부터 제n항까지의 합을 S_n이라 할 때, $\log_3 (S_n + 1) = n$을 만족시키는 수열 $\{a_n\}$의 일반항 a_n을 구하시오.   ○ △ X

아름다운 샘

매월 초에 10만 원씩 월이율 1 %로 1개월마다 복리로 3년간 적립할 때, 3년 후에 받게 되는 원리합계를 구하시오. (단, $1.01^{36}=1.43$으로 계산한다.) ○ △ X

매월 초에 일정한 금액을 월이율 2 %, 한 달마다 복리로 적립하여 2년 후에 1000만 원을 만들려고 한다. 매달 얼마씩 적립해야 하는지 구하시오.

(단, $1.02^{24}=1.6$으로 계산하고, 천 원 단위에서 반올림한다.) ○ △ X

12
수열의 합

1. 합의 기호 $\sum$
① $\sum$의 뜻
② $\sum$의 기본 성질

2. 자연수의 거듭제곱의 합
① 자연수의 거듭제곱의 합
② $\sum\limits_{k=1}^{n}$ (k에 대한 다항식)의 계산

3. 여러 가지 수열의 합
① 일반항이 지수로 표현된 수열의 합
② 일반항이 분수식인 수열의 합
③ 군수열

핵심 Point

1. $\sum$의 뜻
수열 $\{a_n\}$의 첫째항부터 제 n 항까지의 합

$$a_1+a_2+a_3+\cdots+a_n$$

을 기호 $\sum$를 사용하여 $\sum\limits_{k=1}^{n} a_k$와 같이 나타낸다.

$$a_1+a_2+a_3+\cdots+a_n=\sum_{k=1}^{n} a_k$$

2. $\sum$의 성질
(1) $\sum\limits_{k=1}^{n} (a_k+b_k)=\sum\limits_{k=1}^{n} a_k+\sum\limits_{k=1}^{n} b_k$

(2) $\sum\limits_{k=1}^{n} (a_k-b_k)=\sum\limits_{k=1}^{n} a_k-\sum\limits_{k=1}^{n} b_k$

(3) $\sum\limits_{k=1}^{n} ca_k=c \sum\limits_{k=1}^{n} a_k$ (단, c는 상수)

(4) $\sum\limits_{k=1}^{n} c=cn$ (단, c는 상수)

3. 자연수의 거듭제곱의 합
(1) $\sum\limits_{k=1}^{n} k=\dfrac{n(n+1)}{2}$

(2) $\sum\limits_{k=1}^{n} k^2=\dfrac{n(n+1)(2n+1)}{6}$

(3) $\sum\limits_{k=1}^{n} k^3=\left\{\dfrac{n(n+1)}{2}\right\}^2$

4. $\sum\limits_{k=1}^{n}$ (k에 대한 다항식)의 계산
$$\sum_{k=1}^{n} (ak^3+bk^2+ck+d)=a \sum_{k=1}^{n} k^3+b \sum_{k=1}^{n} k^2+c \sum_{k=1}^{n} k+dn \text{ (단, } a,\ b,\ c,\ d\text{는 상수)}$$

5. 일반항이 분수식인 수열의 합
$$\sum_{k=1}^{n} \dfrac{1}{k(k+1)}=\sum_{k=1}^{n} \left(\dfrac{1}{k}-\dfrac{1}{k+1}\right)$$

아름다운 샘

1 합의 기호 $\sum$

필수 예제 1

수열 $\{a_n\}$에 대하여 다음 물음에 답하시오.

(1) $a_1=3$, $a_{100}=40$일 때, $\displaystyle\sum_{k=2}^{100} a_k - \sum_{k=1}^{99} a_k$의 값을 구하시오.   (○ △ X)

(2) $\displaystyle\sum_{k=1}^{50} ka_k=300$, $\displaystyle\sum_{k=1}^{49} ka_{k+1}=230$일 때, $\displaystyle\sum_{k=1}^{50} a_k$의 값을 구하시오.   (○ △ X)

수열 $\{a_n\}$에 대하여 $\sum\limits_{k=1}^{15}(a_{2k-1}+a_{2k})=65$일 때, $\sum\limits_{k=1}^{30}a_k$의 값을 구하시오.   ○ △ ✕

$\sum\limits_{k=1}^{50}(k^2+k)-\sum\limits_{k=3}^{50}(k^2+k)$의 값을 구하시오.   ○ △ ✕

필수 예제 2

두 수열 $\{a_n\}$, $\{b_n\}$에 대하여 다음 물음에 답하시오.

(1) $\sum\limits_{k=1}^{20}a_k=5$, $\sum\limits_{k=1}^{20}b_k=8$일 때, $\sum\limits_{k=1}^{20}3(2a_k+b_k-1)$의 값을 구하시오.   ○ △ ✕

(2) $\sum\limits_{k=1}^{n}(a_k+b_k)^2=50$, $\sum\limits_{k=1}^{n}(a_k^2+b_k^2)=30$일 때, $\sum\limits_{k=1}^{n}a_kb_k$의 값을 구하시오.   ○ △ ✕

유제 12-3

두 수열 $\{a_n\}$, $\{b_n\}$에 대하여 $\sum\limits_{k=1}^{5} a_k = 10$, $\sum\limits_{k=1}^{5} b_k = 5$일 때,

$\sum\limits_{k=1}^{5} \{(\sqrt{a_k} + \sqrt{b_k})(\sqrt{a_k} - \sqrt{b_k})\}$의 값을 구하시오. (단, $a_k > 0$, $b_k > 0$)　　　○ △ X

유제 12-4

두 수열 $\{a_n\}$, $\{b_n\}$에 대하여 $\sum\limits_{k=1}^{10} (a_k + b_k) = 20$, $\sum\limits_{k=1}^{10} (a_k - b_k) = 6$일 때,

$\sum\limits_{k=1}^{10} (2a_k - b_k + 5)$의 값을 구하시오.　　　○ △ X

2 자연수의 거듭제곱의 합

핵심 Note

필수 예제 3

다음 수열의 합을 구하시오.

(1) $\displaystyle\sum_{k=1}^{8} (k+2)^2$ ○ △ X

(2) $\displaystyle\sum_{k=1}^{6} \{k(2k-1)(2k+1)\}$ ○ △ X

아름다운 샘

다음 수열의 합을 구하시오.

(1) $\sum\limits_{k=1}^{10}(3+k^2)-\sum\limits_{k=1}^{10}(2k-k^2)$ ○ △ X

(2) $\sum\limits_{k=1}^{10}\{(k+1)(k^2-k+1)\}$ ○ △ X

$\sum\limits_{k=1}^{10}k^2+\sum\limits_{k=2}^{10}k^2+\cdots+\sum\limits_{k=9}^{10}k^2+\sum\limits_{k=10}^{10}k^2=x^2$일 때, 양수 x의 값을 구하시오. ○ △ X

아름다운 샘

필수 예제 4

다음 수열의 합을 구하시오.

(1) $\displaystyle\sum_{k=1}^{n} (k^2+2k-1)$ ◯ △ ✕

(2) $\displaystyle\sum_{k=n+1}^{2n} 6k^2$ ◯ △ ✕

유제 12-7

다음 수열의 합을 구하시오.

(1) $\displaystyle\sum_{k=0}^{n} (2+4k)$ ◯ △ ✕

(2) $\displaystyle\sum_{k=1}^{n} (k^2-k+3)+\sum_{i=1}^{n} (i^2+i-3)$ ◯ △ ✕

(3) $\displaystyle\sum_{k=1}^{n} k(k-n)$ ◯ △ ✕

아름다운샘

다음 수열의 합을 구하시오.

(1) $1^2+3^2+5^2+\cdots+19^2$　　　　　　　○ △ X

(2) $1\times3+2\times5+3\times7+\cdots+20\times41$　　　　　　　○ △ X

다음 수열의 합을 구하시오.

(1) $1^2+4^2+7^2+\cdots+19^2$　　　　　　　○ △ X

(2) $2\times2+4\times5+6\times8+\cdots+20\times29$　　　　　　　○ △ X

(3) $1 \times 19 + 2 \times 18 + 3 \times 17 + \cdots + 19 \times 1$

유제 12-9

수열 1, $1+2$, $1+2+3$, $\cdots$의 첫째항부터 제 n항까지의 합을 구하시오.

아름다운샘

발전 예제 6

다음 식을 간단히 하시오.

(1) $\displaystyle\sum_{j=1}^{n}\left(\sum_{k=1}^{j}k\right)$

(O △ X)

(2) $\displaystyle\sum_{l=1}^{10}\left\{\sum_{k=1}^{l}(k+2)\right\}$

(O △ X)

유제 12-**10**

다음 식의 값을 구하시오.

(1) $\displaystyle\sum_{k=1}^{5}\left(\sum_{l=1}^{4}kl\right)$

(O △ X)

(2) $\displaystyle\sum_{l=1}^{10}\left\{\sum_{j=1}^{5}(j+l)\right\}$

(O △ X)

이차방정식 $x^2-16x+a=0$의 두 근을 m, n이라 할 때, $\sum\limits_{i=1}^{m}\left\{\sum\limits_{j=1}^{n}(i+j)\right\}=540$이다. 상수 a의 값을 구하시오.

(O △ X)

수열 $\{a_n\}$에 대하여 $\sum\limits_{k=1}^{n}a_k=n^2-2n$일 때, 다음 식의 값을 구하시오.

(1) $\sum\limits_{k=1}^{10}a_{2k}$

(O △ X)

(2) $\sum\limits_{k=1}^{5}ka_k$

(O △ X)

수열 $\{a_n\}$에 대하여 $\displaystyle\sum_{k=1}^{n} a_k = 5^{n+1} - 1$일 때, $a_1 + a_3$의 값을 구하시오.   ○ △ X

수열 $\{a_n\}$에 대하여 $\displaystyle\sum_{k=1}^{n} a_k = \dfrac{n}{n+1}$ 일 때, $\displaystyle\sum_{k=1}^{10} \dfrac{1}{a_{2k-1}}$ 의 값을 구하시오.   ○ △ X

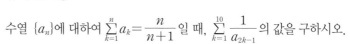

3 여러 가지 수열의 합

핵심 Note

필수 예제 8

다음 수열의 합을 구하시오.

(1) $\sum\limits_{k=1}^{10} \left(3 \times 2^{k-1}\right)$ ○ △ X

(2) $\sum\limits_{k=1}^{6} \dfrac{6}{3^k}$ ○ △ X

(3) $\sum\limits_{k=1}^{5} \left(3^k + 2\right)$ ○ △ X

다음 수열의 합을 구하시오.

(1) $\displaystyle\sum_{k=1}^{9}\left(\dfrac{1}{2}\right)^{k-1}$ ◯ △ ✕

(2) $\displaystyle\sum_{k=1}^{5}\left(2^{k}+3^{k}\right)$ ◯ △ ✕

(3) $\displaystyle\sum_{k=1}^{6}\left(2\times3^{k-1}-k\right)$ ◯ △ ✕

필수 예제 9

다음 수열의 첫째항부터 제 10 항까지의 합을 구하시오.

(1) $\dfrac{1}{2\times3},\ \dfrac{1}{3\times4},\ \dfrac{1}{4\times5},\ \dfrac{1}{5\times6},\ \cdots$ ◯ △ ✕

(2) $\dfrac{2}{1\times3},\ \dfrac{2}{2\times4},\ \dfrac{2}{3\times5},\ \dfrac{2}{4\times6},\ \cdots$ ◯ △ ✕

아름다운샘

다음 수열의 첫째항부터 제10항까지의 합을 구하시오.

(1) $\dfrac{1}{1\times 4}$, $\dfrac{1}{4\times 7}$, $\dfrac{1}{7\times 10}$, $\cdots$

○ △ X

(2) $\dfrac{1}{2^2-1}$, $\dfrac{1}{3^2-1}$, $\dfrac{1}{4^2-1}$, $\cdots$

○ △ X

(3) $1, \dfrac{1}{1+2}, \dfrac{1}{1+2+3}, \cdots$

다음 식의 값을 구하시오.

(1) $\displaystyle\sum_{k=1}^{24} \dfrac{1}{\sqrt{k+1}+\sqrt{k}}$

(2) $\displaystyle\sum_{k=1}^{99} \log\left(1+\dfrac{1}{k}\right)$

다음 식의 값을 구하시오.

(1) $\sum\limits_{k=1}^{40}(\sqrt{2k-1}-\sqrt{2k+1})$ 　　　　　　　(○ △ X)

(2) $\sum\limits_{k=2}^{100}\log\left(1-\dfrac{1}{k^2}\right)$ 　　　　　　(○ △ X)

$\dfrac{2}{\sqrt{3}+1}+\dfrac{2}{\sqrt{5}+\sqrt{3}}+\dfrac{2}{\sqrt{7}+\sqrt{5}}+\cdots+\dfrac{2}{\sqrt{2n+1}+\sqrt{2n-1}}=4$ 를 만족시키는 자연수 n의

값을 구하시오. 　　　　　　(○ △ X)

아름다운 샘

군수열 (1), $(2, 3)$, $(4, 5, 6)$, $(7, 8, 9, 10)$, $\cdots$에 대하여 다음 물음에 답하시오.

(1) 제 n군의 첫째항을 구하시오.　　　　　　　　　○ △ X

(2) 제 n군의 합을 구하시오.　　　　　　　　　○ △ X

(3) 제 1군부터 제 n군까지의 합을 구하시오.　　　　　　　　　○ △ X

수열 $\dfrac{1}{2}$, $\dfrac{2}{3}$, $\dfrac{1}{3}$, $\dfrac{3}{4}$, $\dfrac{2}{4}$, $\dfrac{1}{4}$, $\dfrac{4}{5}$, $\dfrac{3}{5}$, $\dfrac{2}{5}$, $\dfrac{1}{5}$, $\cdots$에서 다음 물음에 답하시오.

(1) 제 50 항을 구하시오.   ◯ △ X

(2) $\dfrac{7}{12}$ 은 제 몇 항인지 구하시오.   ◯ △ X

발전 예제 12

다음 수열의 합을 구하시오.

$$S_n = 1 + 2x + 3x^2 + \cdots + nx^{n-1}$$

◯ △ X

다음 수열의 합을 구하시오. (O △ X)

$$S = 1 \times 3 + 3 \times 3^2 + 5 \times 3^3 + \cdots + 19 \times 3^{10}$$

수열 1, 4, 11, 22, 37, ⋯ 에 대하여 다음 물음에 답하시오.

(1) 일반항 a_n을 구하시오. (O △ X)

(2) 첫째항부터 제 n 항까지의 합 S_n을 구하시오. (O △ X)

다음 수열의 첫째항부터 제 n 항까지의 합 S_n을 구하시오.

(1) 3, 5, 9, 15, 23, ⋯   ○ △ X

(2) 4, 6, 10, 18, 34, ⋯   ○ △ X

13
수학적 귀납법

1. 수열의 귀납적 정의
① 수열의 귀납적 정의
② 등차수열의 관계식
③ 등비수열의 관계식
④ 여러 가지 관계식

2. 수학적 귀납법
① 수학적 귀납법

핵심 Point

1. 수열의 귀납적 정의

수열 $\{a_n\}$을

(i) 처음 몇개의 항

(ii) 이웃하는 항들 사이의 관계식

으로 정의하는 것을 수열 $\{a_n\}$의 귀납적 정의라고 한다.

2. 등차수열의 관계식

수열 $\{a_n\}$에 대하여

(1) $a_{n+1} = a_n + d$ ← 공차가 d인 등차수열

(2) $2a_{n+1} = a_n + a_{n+2}$ ← 등차수열

3. 등비수열의 관계식

수열 $\{a_n\}$에 대하여

(1) $a_{n+1} = ra_n$ ← 공비가 r인 등비수열

(2) $a_{n+1}^2 = a_n a_{n+2}$ ← 등비수열

4. 여러 가지 관계식

(1) $a_{n+1} = a_n + f(n)$의 꼴

수열 $\{a_n\}$이

$$a_1 = a, \ a_{n+1} = a_n + f(n) \quad \cdots\cdots ㉠$$

의 꼴로 정의될 때, 수열의 일반항은 ㉠의 n 대신에 $1, 2, 3, \cdots, n-1$을

차례로 대입한 후 변끼리 더하여 구한다.

(2) $a_{n+1} = f(n) \times a_n$의 꼴

수열 $\{a_n\}$이

$$a_1 = a, \ a_{n+1} = f(n) \times a_n \quad \cdots\cdots ㉡$$

의 꼴로 정의될 때, 수열의 일반항은 ㉡의 n 대신에 $1, 2, 3, \cdots, n-1$을

차례로 대입한 후 변끼리 곱하여 구한다.

5. 수학적 귀납법

(i) $n=1$일 때, 명제 $p(n)$이 성립한다.

(ii) $n=k$일 때, 명제 $p(n)$이 성립한다고 가정하면, $n=k+1$일 때도

명제 $p(n)$이 성립한다.

이와 같은 방법으로 자연수 n에 대한 명제 $p(n)$이 참임을 증명하는 방법을

수학적 귀납법이라고 한다.

아름다운샘

1 수열의 귀납적 정의

핵심 Note

필수 예제 1

다음과 같이 정의된 수열 $\{a_n\}$의 일반항을 구하시오. (단, $n=1,\ 2,\ 3,\ \cdots$)

(1) $a_1=1,\ a_{n+1}=a_n+7$

〔 O △ X 〕

(2) $a_1=2,\ a_2=8,\ 2a_{n+1}=a_n+a_{n+2}$

〔 O △ X 〕

다음과 같이 정의된 수열 $\{a_n\}$에 대하여 a_{10}을 구하시오. (단, $n=1,\ 2,\ 3,\ \cdots$)

(1) $a_1=-4,\ a_{n+1}-a_n=3$ 　　　　　　　　　　　　　　　　　(O △ X)

(2) $a_1=9,\ a_2=6,\ a_{n+2}-2a_{n+1}+a_n=0$ 　　　　　　　(O △ X)

수열 $\{a_n\}$이 $a_1=1,\ a_2=3,\ a_{n+1}=\dfrac{a_n+a_{n+2}}{2}$ $(n=1, 2, 3, \cdots)$로 정의될 때,

$\displaystyle\sum_{k=1}^{10} a_k$의 값을 구하시오. 　　　　　　　　　　　　　(O △ X)

아름다운샘

필수 예제 2

다음과 같이 정의된 수열 $\{a_n\}$의 제8항을 구하시오. (단, $n=1,\ 2,\ 3,\ \cdots$)

(1) $a_1=3$, $a_{n+1}=\dfrac{1}{2}a_n$ ◯ △ ✕

(2) $a_1=\dfrac{1}{3}$, $a_2=1$, $a_{n+1}{}^2=a_n a_{n+2}$ ◯ △ ✕

다음과 같이 정의된 수열 $\{a_n\}$에 대하여 일반항 a_n을 구하시오. (단, $n=1, 2, 3, \cdots$)

(1) $a_1=\dfrac{3}{2}$, $\dfrac{a_{n+1}}{a_n}=2$ ◯ △ ✕

(2) $a_1=7$, $a_2=14$, $\dfrac{a_{n+1}}{a_{n+2}}=\dfrac{a_n}{a_{n+1}}$ ◯ △ ✕

다음과 같이 귀납적으로 정의된 수열 $\{a_n\}$에서 제5항을 구하시오. (단, $n=1, 2, 3, \cdots$)

(1) $\begin{cases} a_1=1 \\ a_{n+1}=a_n+3n \end{cases}$ ○ △ X

(2) $\begin{cases} a_1=-2 \\ a_{n+1}=\dfrac{1}{2}a_n-2 \end{cases}$ ○ △ X

(3) $\begin{cases} a_1=2 \\ \dfrac{1}{a_{n+1}}=\dfrac{1}{a_n}+1 \end{cases}$ ○ △ X

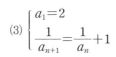

다음과 같이 귀납적으로 정의된 수열 $\{a_n\}$에서 a_5를 구하시오. (단, $n=1, 2, 3, \cdots$)

(1) $\begin{cases} a_1=2 \\ a_{n+1}=a_n+3^n \end{cases}$　　　　$\boxed{\text{O} \ \triangle \ \text{X}}$

(2) $\begin{cases} a_1=3 \\ a_{n+1}=2a_n+n \end{cases}$　　　　$\boxed{\text{O} \ \triangle \ \text{X}}$

(3) $\begin{cases} a_1=1, \ a_2=2 \\ a_{n+2}-4a_{n+1}+3a_n=0 \end{cases}$　　　　$\boxed{\text{O} \ \triangle \ \text{X}}$

(4) $\begin{cases} a_1=1 \\ a_{n+1}=\dfrac{a_n}{4a_n+1} \end{cases}$　　　　$\boxed{\text{O} \ \triangle \ \text{X}}$

필수 예제 4

수열 $\{a_n\}$을

$$a_1=1,\ a_{n+1}=a_n+2n\ (n=1,\ 2,\ 3,\ \cdots)$$

과 같이 정의할 때, a_{10}을 구하시오.

(O △ X)

필수 예제 5

수열 $\{a_n\}$을

$$a_1=2,\ a_{n+1}=\frac{n+1}{n}a_n\ (n=1,2,3,\cdots)$$

과 같이 정의할 때, a_{20}을 구하시오.

(O △ X)

유제 13-**5**

수열 $\{a_n\}$을

$$a_1=3,\ a_{n+1}=a_n+2^n+1\ (n=1,2,3,\cdots)$$

과 같이 정의할 때, a_{10}을 구하시오.

(O △ X)

아름다운샘

유제 13-6

수열 $\{a_n\}$을 $a_1=1$, $a_{n+1}=3^n a_n$ $(n=1, 2, 3, \cdots)$으로 정의할 때, a_{10}을 구하시오.

◯ △ X

유제 13-7

수열 $\{a_n\}$을 $a_1=4$, $a_n=\dfrac{n^2-1}{n^2}a_{n-1}$ $(n=2, 3, 4, \cdots)$로 정의할 때, a_{20}을 구하시오.

◯ △ X

필수 예제 6

다음과 같이 귀납적으로 정의된 수열 $\{a_n\}$에서 제20항을 구하시오. (단, $n=1, 2, 3, \cdots$)

(1) $\begin{cases} a_1=1 \\ a_{n+1}=a_n+(-1)^n \times 2 \end{cases}$ ○ △ X

(2) $\begin{cases} a_1=2, \ a_2=3 \\ a_n+a_{n+1}+a_{n+2}=6 \end{cases}$ ○ △ X

다음과 같이 귀납적으로 정의된 수열 $\{a_n\}$에서 a_{20}을 구하시오. (단, $n=1, 2, 3, \cdots$)

(1) $\begin{cases} a_1=2 \\ a_n a_{n+1}=5 \end{cases}$ ○ △ X

(2) $a_1 = 2$, $a_{n+1} = \dfrac{a_n - 1}{a_n + 1}$

◯ △ ✕

$a_1 = 2$, $a_2 = 4$, $a_{n+2}a_{n+1}a_n = 1$ $(n = 1, 2, 3, \cdots)$로 정의된 수열 $\{a_n\}$에 대하여

$\displaystyle\sum_{k=1}^{24} a_k$의 값을 구하시오.

◯ △ ✕

다음과 같이 정의된 수열 $\{a_n\}$에서 a_{10}을 구하시오. (단, $n=1, 2, 3, \cdots$)

(1) $a_1=1, a_{n+1}=2a_n+1$ (O △ X)

(2) $a_1=2, a_{n+1}=3a_n+2$ (O △ X)

$a_1=1, a_{n+1}=\dfrac{1}{2}a_n+1$ $(n=1, 2, 3, \cdots)$로 정의된 수열 $\{a_n\}$에서 a_{10}을 구하시오.   (O △ X)

아름다운샘

다음과 같이 정의된 수열 $\{a_n\}$에서 a_{10}을 구하시오. (단, $n=1, 2, 3, \cdots$)

(1) $a_1=1$, $a_2=2$, $a_{n+2}-3a_{n+1}+2a_n=0$　　　○ △ X

(2) $a_1=1$, $a_{n+1}=3a_n+3^n$　　　○ △ X

다음과 같이 정의된 수열 $\{a_n\}$의 일반항을 구하시오. (단, $n=1, 2, 3, \cdots$)

(1) $a_1=5$, $a_{n+1}-3=2(a_n-3)$　　　○ △ X

(2) $a_1=3$, $a_{n+1}=3a_n-4$　　　○ △ X

다음과 같이 정의된 수열 $\{a_n\}$의 일반항을 구하시오.

$\boxed{\text{○ △ X}}$

$$a_1=3,\ a_{n+1}-2a_n+1=0\ (\text{단},\ n=1,\ 2,\ 3,\ \cdots)$$

필수 예제 9

140 L의 물이 들어 있는 수족관이 있다. 이번 달 말부터 매월 말에 수족관에 들어 있던 물의 양의 절반을 버리고 50 L의 물을 새로 넣으려고 한다. n번째 월 말에 수족관에 남아 있는 물의 양을 a_n L라 할 때, 다음 물음에 답하시오.

(1) a_1을 구하시오.

$\boxed{\text{○ △ X}}$

(2) a_n과 a_{n+1} 사이의 관계식을 구하시오.

$\boxed{\text{○ △ X}}$

아름다운샘

유제 13-13

어떤 모임에 참석한 사람들 모두가 악수를 한다고 한다. 모인
사람이 n명인 경우에 이루어지는 악수의 총 횟수를 a_n이라 할
때, 다음 물음에 답하시오. (단, $n \geq 2$)

(1) a_2를 구하시오.

○ △ ✕

(2) a_n과 a_{n+1} 사이의 관계식을 구하시오.

○ △ ✕

핵심 Note

필수 예제 10

모든 자연수 n에 대하여 다음 등식이 성립함을 수학적 귀납법으로 증명하시오. ○ △ X

$$1^2+2^2+3^2+\cdots+n^2=\frac{n(n+1)(2n+1)}{6}$$

유제 13-**14**

모든 자연수 n에 대하여 다음 등식이 성립함을 수학적 귀납법으로 증명하시오. ○ △ X

$$1^3+2^3+3^3+\cdots+n^3=\frac{1}{4}n^2(n+1)^2$$

$h>0$일 때, $n \geq 2$인 모든 자연수 n에 대하여 다음 부등식이 성립함을 수학적 귀납법으로 증명하시오. (O △ X)

$$(1+h)^n > 1+nh$$

$n \geq 2$인 모든 자연수 n에 대하여 다음 부등식이 성립함을 수학적 귀납법으로 증명하시오. (O △ X)

$$1 + \frac{1}{2} + \frac{1}{3} + \cdots + \frac{1}{n} > \frac{2n}{n+1}$$

※ 정답은 홈페이지(www.a-ssam.co.kr)의 학습자료실에서 내려받으실 수 있습니다.

01. 지수
본문 p.001

예제

1 ㄱ, ㄹ **2** (1) 1 (2) 2 (3) $\sqrt[3]{6}$ (4) $\sqrt[4]{3}$

3 (1) $\sqrt[15]{a^{13}}$ (2) 1 **4** (1) 4 (2) $\sqrt{3}$ (3) 125 (4) 8

5 (1) a (2) $a^{\frac{1}{3}}$ (3) $a^{\frac{7}{18}}$ (4) $\dfrac{1}{a^{\frac{7}{2}}}$ **6** $\sqrt[12]{12}<\sqrt[4]{4}<\sqrt[3]{3}$

7 (1) $a-1$ (2) $a^{\frac{2}{3}}+a^{\frac{1}{3}}b^{-\frac{1}{3}}+b^{-\frac{2}{3}}$

8 (1) 7 (2) 1 (3) 18 **9** (1) 3 (2) $\dfrac{7}{6}$

10 (1) 2 (2) 0 **11** 64마리 **12** $2^{\frac{5}{4}}$

유제

1 ㄱ, ㄴ, ㄷ **2** (1) 5 (2) $\sqrt[3]{4}$ (3) 0 (4) 5

3 (1) $\sqrt[6]{ab^4}$ (2) 1 **4** $\sqrt{x}$

5 (1) 2 (2) $4\sqrt{5}$ (3) $\dfrac{27}{64}$ (4) 4 **6** $\dfrac{3}{4}$

7 (1) a^2 (2) $a^{\frac{19}{24}}$ (3) 1 (4) $b^{\frac{2}{3}}$

8 (1) $\left(\dfrac{1}{4}\right)^{\frac{1}{2}}<\sqrt{\dfrac{1}{2}}<2^{-\frac{1}{3}}$ (2) $\sqrt[6]{20}<\sqrt[3]{5}<\sqrt[4]{10}$

9 $A<B<C$ **10** (1) $a^{\frac{1}{2}}+a^{-\frac{1}{2}}$ (2) $a+b$ **11** 8

12 (1) 6 (2) $4\sqrt{2}$ (3) $10\sqrt{2}$ **13** (1) $\dfrac{5}{4}$ (2) $\dfrac{3}{2}$

14 $\dfrac{5}{2}$ **15** $\dfrac{1}{3}$ **16** 270 **17** 16배 **18** $\dfrac{7}{20}$

02. 로그
본문 p.022

예제

1 (1) 8 (2) 8 (3) 2 (4) 3

2 (1) $x<-1$ 또는 $x>5$

   (2) $1<x<2$ 또는 $2<x<3$

3 (1) 1 (2) $\dfrac{1}{2}$ (3) 0 (4) $\dfrac{3}{4}$ **4** (1) $\dfrac{3}{4}$ (2) 3

5 (1) $\dfrac{7}{2}$ (2) 243 (3) 100 (4) 7

6 (1) $4+a+b$ (2) $\dfrac{2+a}{b}$ (3) $\dfrac{1+b}{2a}$ **7** 6

8 62 **9** (1) -1 (2) 0 **10** 31

유제

1 (1) $\dfrac{1}{27}$ (2) $\sqrt{2}$ (3) 7 (4) $\sqrt{5}$ **2** 3

---

3 (1) $x<\dfrac{1}{2}$ 또는 $x>1$ (2) $2<x<3$ 또는 $3<x<5$

4 (1) 2 (2) 0 **5** 2 **6** (1) 15 (2) 4 **7** 12

8 (1) $\dfrac{5}{2}$ (2) 2 (3) 125 (4) 8

9 (1) $\dfrac{2+ab}{a}$ (2) $\dfrac{2+a+ab}{2+a}$ **10** $\dfrac{1+a}{1-a}$ **11** 2

12 -29 **13** 17 **14** $\dfrac{1}{7}$ **15** $3\log_{10}2$

16 0 **17** 8m

03. 상용로그
본문 p.041

예제

1 (1) 2.1118 (2) -7.8820

2 (1) 1.0791 (2) -0.7781 (3) 1.6532 **3** -5.5207

4 $N=100\sqrt{10}$, $k=2$ **5** (1) 1.5855 (2) 0.00385

6 (1) 16자리 (2) 11자리 **7** 소수점 아래 10째 자리

8 (1) 100, $100\sqrt{10}$ (2) $\dfrac{1}{3}$ **9** 100 **10** $\dfrac{99}{8}$

유제

1 (1) 4.2427 (2) -6.2269 (3) 6.3832 **2** 3.425

3 (1) 1.7323 (2) -0.2731 (3) 0.3495

4 (1) $\dfrac{3a}{a+b}$ (2) $\dfrac{3a+2b-1}{1-a}$ **5** 1 **6** $\dfrac{1-a}{2}$

7 -4 **8** 2

9 (1) 2.7126 (2) -3.2874 (3) 5160 (4) 0.0516

10 (1) 15자리 (2) 31자리 **11** 5

12 소수점 아래 6째 자리

13 소수점 아래 9째 자리

14 1000, $1000\sqrt[3]{10}$, $1000\sqrt[3]{100}$ **15** $\dfrac{7}{8}$ **16** 3

17 98 **18** $\dfrac{8}{3}$

04. 지수함수와 로그함수
본문 p.059

예제

1 30

2 (1)

치역: $\{y\,|\,y>3\}$, 점근선의 방정식: $y=3$

(2)

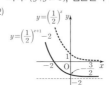

치역: $\{y\,|\,y>-2\}$, 점근선의 방정식: $y=-2$

3 4

4 (1) $\sqrt[3]{\dfrac{1}{9}}<\sqrt[5]{\dfrac{1}{27}}$ (2) $\sqrt[3]{4}<\sqrt[5]{16}<(\sqrt{2})^3$

5 (1) 최댓값: 9, 최솟값: 1 (2) 최댓값: 4, 최솟값: $-\dfrac{9}{4}$

6 $\dfrac{5}{4}$ **7** ⑤

8 (1)

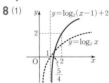

정의역: $\{x\,|\,x>1\}$, 치역: 실수 전체의 집합,
점근선의 방정식: $x=1$

(2)

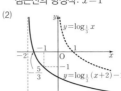

정의역: $\{x\,|\,x>-2\}$, 치역: 실수 전체의 집합,
점근선의 방정식: $x=-2$

9 3

10 (1) $\log_3 4<\log_3 5$ (2) $\log_{\frac{1}{2}} 3<0<\log_{\frac{1}{2}}\dfrac{1}{3}$

11 (1) 최댓값: 2, 최솟값: 1

   (2) 최댓값: -2, 최솟값: -6

12 (1) $y=\log_2 x+\log_2\dfrac{2}{3}$ (단, $x>0$)

   (2) $y=3^{x+2}-1$

13 30

유제

1 ④ **2** 7

3 (1)

치역: $\{y\,|\,y>1\}$, 점근선의 방정식: $y=1$

(2)

치역: $\{y\,|\,y>-1\}$, 점근선의 방정식: $y=-1$

(3)

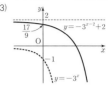

치역: $\{y\,|\,y<2\}$, 점근선의 방정식: $y=2$

(4)

치역: $\{y\,|\,y<-2\}$, 점근선의 방정식: $y=-2$

4 (1)

치역: $\{y\,|\,y\geq 1\}$

(2)

치역: $\{y\,|\,y\geq 2\}$

5 $\sqrt{3}$ **6** 5

7 (1) $\sqrt{2}<8^{\frac{1}{4}}<\sqrt[3]{16}$ (2) $\sqrt{\dfrac{1}{4}}<\sqrt[5]{\dfrac{1}{16}}<\sqrt[3]{\dfrac{1}{2}}$

8 (1) 최댓값: $\dfrac{3}{2}$, 최솟값: $\dfrac{4}{9}$ (2) 최댓값: 4, 최솟값: $\dfrac{1}{2}$

(1) 최댓값: 1, 최솟값: -3 (2) 최댓값: 5, 최솟값: 1

10 20   11 $\dfrac{1}{5}$ 12 $\dfrac{1}{2}$

13 (1)

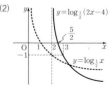

$y=\log_3(x-2)+\dfrac{3}{2}$, $y=\log_3 x$

정의역: $\{x|x>2\}$, 치역: 실수 전체의 집합,
점근선의 방정식: $x=2$

(2)

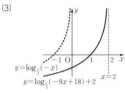

$y=\log_{\frac{1}{2}}(2x-4)$, $y=\log_{\frac{1}{2}}x$

정의역: $\{x|x>2\}$, 치역: 실수 전체의 집합,
점근선의 방정식: $x=2$

(3)

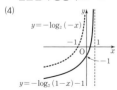

$y=\log_{\frac{1}{3}}(-x)$, $y=\log_{\frac{1}{3}}(-9x+18)+2$

정의역: $\{x|x<2\}$, 치역: 실수 전체의 집합,
점근선의 방정식: $x=2$

(4)

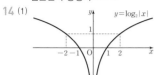

$y=-\log_2(-x)$, $y=-\log_2(1-x)-1$

정의역: $\{x|x<1\}$, 치역: 실수 전체의 집합,
점근선의 방정식: $x=1$

14 (1)

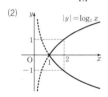

$y=\log_2|x|$

(2)

$|y|=\log_2 x$

(3)

$y=|\log_2 x|$

15 -1 16 7

17 (1) $\log_{\frac{1}{3}}2<\log_{\frac{1}{3}}\sqrt{3}$ (2) $\log_2 5<3<2\log_2 3$

18 최댓값: -1, 최솟값: -2

19 최댓값: -9, 최솟값: -33

20 $-\dfrac{3}{2}$

21 (1) $y=\log_3(x+2)-1$ (단, $x>-2$)

(2) $y=2^{x-1}+3$

22 4   23 10

05. 지수함수의 활용   본문 p.081

예제

1 (1) $x=-1$ 또는 $x=6$ (2) $x=-4$ 또는 $x=1$

(3) $x=\dfrac{2\log 3+\log 7}{\log 3-2\log 7}$

2 (1) $x=1$ 또는 $x=2$ (2) $x=1$ 또는 $x=2$

(3) $x=0$ 또는 $x=1$

3 (1) $x=2$ (2) $x=-2$ 또는 $x=0$

4 $x=-1$ 또는 $x=1$ 5 (1) $\dfrac{1}{4}$ (2) $0<k<1$

6 (1) $x\geq 2$ (2) $-3<x<-1$ (3) $x\leq\dfrac{2\log 3+\log 5}{2\log 5-\log 3}$

7 (1) $0<x<1$ 또는 $x>2$

(2) $0<x<\dfrac{1}{2}$ 또는 $1<x<4$

8 (1) $-1<x<1$ (2) $x\geq\log_3 2$ 9 10

10 1시간 12분   11 44년

유제

1 (1) $x=\dfrac{1}{3}$ (2) $x=\dfrac{4}{3}$ (3) $x=-1$ 또는 $x=6$

(4) $x=-3$ 또는 $x=1$

2 (1) $x=\dfrac{\log 4+\log 3}{2\log 3-\log 4}$ (2) $x=\dfrac{2\log 3}{\log 5-\log 3}$

3 (1) $x=1$ 또는 $x=2$ (2) $x=-2$ 또는 $x=3$

(3) $x=\dfrac{1}{2}$ 또는 $x=5$ (4) $x=1$ 또는 $x=2$

4 (1) $x=-1$ (2) $x=-1$ 또는 $x=0$

(3) $x=0$ (4) $x=0$ 또는 $x=\dfrac{1}{2}$

5 13   6 -4 7 36   8 1   9 $\dfrac{81}{4}$

10 (1) $x\geq\dfrac{1}{2}$ (2) $-\dfrac{3}{2}<x<\dfrac{1}{4}$

11 (1) $x>\dfrac{\log 3-\log 2}{\log 2-2\log 3}$ (2) $x\geq\dfrac{2\log 3}{\log 2-\log 3}$

12 (1) $1\leq x\leq 6$

(2) $0<x<1$ 또는 $x>3$

13 (1) $x>1$ (2) $x<-1$ (3) $-2<x<2$

(4) $-3\leq x\leq 2$

14 5   15 $0<a<2$ 16 $2\sqrt{3}$ 17 $\dfrac{1}{4}$

18 35

06. 로그함수의 활용   본문 p.101

예제

1 (1) $x=2$ (2) $x=3$ 또는 $x=6$

2 (1) $x=4$ (2) $x=1$

3 (1) $x=\dfrac{1}{4}$ 또는 $x=64$ (2) $x=\dfrac{1}{10000}$ 또는 $x=100$

4 (1) $x=\dfrac{1}{2}$ 또는 $x=4$ (2) $x=1$ 또는 $x=100$

5 (1) 32 (2) $\dfrac{1}{100}$ 또는 100

6 (1) $x<-1$ 또는 $x>2$ (2) $x>6$ (3) $x\geq 2$

7 (1) $1<x<9$ (2) $0<x\leq\dfrac{1}{1000}$ 또는 $x\geq 10$

8 (1) $10<x<100$ (2) $0<x\leq\dfrac{1}{1000}$ 또는 $x\geq 10$

9 $1<a<3$ 10 107 dB   11 $\dfrac{99}{8}$ 분

유제

1 (1) $x=3$ (2) 해가 없다. (3) $x=3$ (4) $x=3$

2 (1) $x=2$ (2) $x=4$

3 (1) $x=\dfrac{\sqrt{3}}{3}$ 또는 $x=3$ (2) $x=2$

4 85

5 (1) $x=10$ 또는 $x=100$ (2) $x=\dfrac{1}{6}$

(3) $x=1$ 또는 $x=10$ (4) $x=1$ 또는 $x=\sqrt{10}$

6 -1 7 $\dfrac{\sqrt{10}}{10}$

8 (1) $-1<x\leq 1$ (2) $2<x\leq 10$ (3) $1<x<3$

9 (1) $0<x<\dfrac{1}{10}$ 또는 $x>100$ (2) $\sqrt{3}\leq x\leq 3$

10 9

11 (1) $0<x\leq\dfrac{\sqrt{10}}{10}$ 또는 $x\geq 100$ (2) $2<x<8$

12 $10<a<10000$

13 $1<a<2$ 14 10   15 $100\sqrt{10}$ m

07. 삼각함수의 뜻   본문 p.118

예제

1 (1) 제2사분면의 각 (2) 제3사분면의 각

(3) 제4사분면의 각 (4) 제1사분면의 각

2 (1) $\dfrac{5}{12}\pi$ (2) $-\dfrac{2}{3}\pi$ (3) $540°$ (4) $-390°$

3 제1사분면 또는 제2사분면 또는 제4사분면

4 $\dfrac{2}{3}\pi$

5 (1) 반지름의 길이: 6 cm, 넓이: 24π cm^2

(2) 반지름의 길이: 8 cm, 호의 길이: 2π cm

6 반지름의 길이: 3, 중심각의 크기: 2

7 (1) $\sin\theta=\dfrac{12}{13}$, $\cos\theta=-\dfrac{5}{13}$, $\tan\theta=-\dfrac{12}{5}$

(2) $\sin\theta=-\dfrac{\sqrt{3}}{2}$, $\cos\theta=\dfrac{1}{2}$, $\tan\theta=-\sqrt{3}$

8 (1) 제3사분면의 각 (2) $-2\sin\theta+\tan\theta$

9 (1) 2 (2) $\dfrac{2}{\cos\theta}$

10 (1) $\sin\theta=-\dfrac{4}{5}$, $\tan\theta=\dfrac{4}{3}$ (2) $-\dfrac{\sqrt{5}}{3}$

11 (1) $-\dfrac{4}{9}$ (2) $\dfrac{\sqrt{17}}{3}$ (3) $-\dfrac{9}{4}$ 12 $2\sqrt{2}$

유제

1 ㄷ, ㄹ

2 (1) $\dfrac{14}{9}\pi$ (2) $-\dfrac{4}{5}\pi$ (3) $480°$ (4) $-252°$

3 제2사분면 또는 제4사분면

4 $\dfrac{9}{5}\pi$ 5 $\dfrac{2}{3}\pi$

6 중심각의 크기: $\dfrac{4}{5}\pi$, 넓이: 10π

7 중심각의 크기: $\dfrac{\pi}{3}$, 넓이: $\dfrac{3}{2}\pi$ cm^2

8 최대 넓이: 36, 반지름의 길이: 6

9 12   10 $\dfrac{1}{5}$ 11 $-\dfrac{1}{3}$ 12 제3사분면의 각

13 $2\sin\theta$ 14 (1) 1 (2) $\tan^2\theta$

15 $\cos\theta=-\dfrac{12}{13}$, $\tan\theta=-\dfrac{5}{12}$ 16 $-\dfrac{2\sqrt{2}}{3}$

17 (1) $\pm\dfrac{\sqrt{2}}{2}$ (2) $\pm 2\sqrt{2}$ (3) $\pm\dfrac{5\sqrt{2}}{8}$ 18 $\dfrac{\sqrt{7}}{4}$

19 $-\sqrt{2}$ 또는 0 또는 $\sqrt{2}$ 20 $-\dfrac{7}{8}$

예제

1 (1)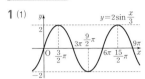

최댓값: 2, 최솟값: -2, 주기: 6π

(2)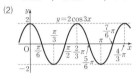

최댓값: 2, 최솟값: -2, 주기: $\dfrac{2\pi}{3}$

(3)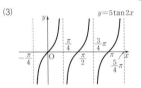

최댓값과 최솟값은 없다, 주기: $\dfrac{\pi}{2}$

2 (1)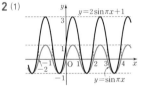

최댓값: 3, 최솟값: -1, 주기: 2

(2)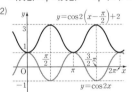

최댓값: 3, 최솟값: 1, 주기: π

3 2   **4** $\dfrac{1}{4}+3\pi$

5 (1)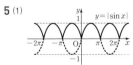

최댓값: 1, 최솟값: 0

(2)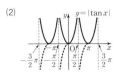

최댓값은 없다, 최솟값: 0

(3)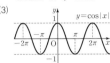

최댓값: 1, 최솟값: -1

6 (1) 3 (2) $-\dfrac{\sqrt{3}}{2}$ **7** (1) $\dfrac{91}{2}$ (2) 4

8 (1) 최댓값: 2, 최솟값: -2 (2) 최댓값: 5, 최솟값: -4

9 (1) 최댓값: 5, 최솟값: 2 (2) 최댓값: $\dfrac{7}{3}$, 최솟값: 1

10 (1) $x=\dfrac{4}{3}\pi$ 또는 $x=\dfrac{5}{3}\pi$ (2) $x=\dfrac{\pi}{4}$ 또는 $x=\dfrac{7}{4}\pi$

(3) $x=\dfrac{2}{3}\pi$ 또는 $x=\dfrac{5}{3}\pi$

11 (1) $x=\dfrac{\pi}{3}$ 또는 $x=\dfrac{5}{3}\pi$ (2) $x=\dfrac{\pi}{6}$ 또는 $x=\dfrac{5}{6}\pi$

12 (1) $\dfrac{\pi}{6}<x<\dfrac{5}{6}\pi$ (2) $0\leq x<\dfrac{\pi}{3}$ 또는 $\dfrac{5}{3}\pi<x<2\pi$

13 (1) $x=\dfrac{\pi}{12}$ 또는 $x=\dfrac{5}{12}\pi$ 또는 $x=\dfrac{13}{12}\pi$ 또는 $x=\dfrac{17}{12}\pi$

(2) $\dfrac{5}{6}\pi\leq x\leq\dfrac{3}{2}\pi$

14 $0<\theta<\pi$

유제

1 (1)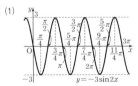

최댓값: 3, 최솟값: -3, 주기: π

(2)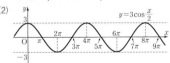

최댓값: 3, 최솟값: -3, 주기: 4π

(3)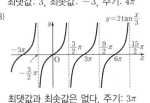

최댓값과 최솟값은 없다, 주기: 3π

2 (1)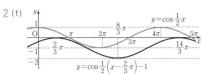

최댓값: 0, 최솟값: -2, 주기: 4π

(2)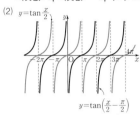

최댓값과 최솟값은 없다, 주기: 2π

3 -2 **4** 6   **5** 7   **6** $2+\pi$ **7** π

8 (1)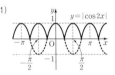

최댓값: 1, 최솟값: 0

(2)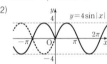

최댓값: 4, 최솟값: -4

(3)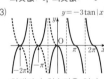

최댓값과 최솟값은 없다.

9 4   **10** (1) 2 (2) 2 (3) 1   **11** (1) 2 (2) 1

12 (1) 최댓값: $\dfrac{1}{4}$, 최솟값: -2

(2) 최댓값: 3, 최솟값: -1

13 (1) 최댓값: 3, 최솟값: -1

(2) 최댓값: 1, 최솟값: $-\dfrac{1}{3}$

14 (1) $x=\dfrac{7}{6}\pi$ 또는 $x=\dfrac{11}{6}\pi$

(2) $x=\dfrac{\pi}{3}$ 또는 $x=\dfrac{5}{3}\pi$

(3) $x=\dfrac{\pi}{6}$ 또는 $x=\dfrac{7}{6}\pi$

15 (1) $x=0$ 또는 $x=\pi$

(2) $x=\dfrac{2}{3}\pi$ 또는 $x=\pi$ 또는 $x=\dfrac{4}{3}\pi$

16 $x=\dfrac{\pi}{2}$

17 (1) $0\leq x\leq\dfrac{\pi}{4}$ 또는 $\dfrac{7}{4}\pi\leq x<2\pi$

(2) $\dfrac{\pi}{2}<x<\dfrac{3}{4}\pi$ 또는 $\dfrac{3}{2}\pi<x<\dfrac{7}{4}\pi$

18 $\dfrac{\pi}{3}\leq x\leq\dfrac{2}{3}\pi$ **19** $x=\dfrac{\pi}{2}$

20 $\dfrac{\pi}{6}<x<\dfrac{11}{12}\pi$ 또는 $\dfrac{7}{6}\pi<x<\dfrac{23}{12}\pi$

21 $\dfrac{\sqrt{3}}{2}$

22 $0\leq\theta<\dfrac{\pi}{3}$ 또는 $\dfrac{2}{3}\pi<\theta<\dfrac{4}{3}\pi$ 또는 $\dfrac{5}{3}\pi<\theta\leq2\pi$

예제

1 (1) $\angle B=30°$, $a=10$ (2) $c=2\sqrt{2}$, $R=2$

2 (1) $6:4:5$ (2) $1:2:\sqrt{3}$ **3** 256 m

4 $5\sqrt{6}+5\sqrt{2}$ **5** $2+\sqrt{2}$ **6** 120°   **7** 700 m

8 $\angle B=90°$인 직각삼각형   **9** (1) 60° (2) $\dfrac{19\sqrt{3}}{4}$

10 $4\sqrt{6}$ **11** $\dfrac{39\sqrt{3}}{4}$ **12** (1) $\dfrac{3\sqrt{3}}{2}$ (2) $5\sqrt{3}$

유제

1 (1) 75° (2) $a=\sqrt{6}$, $S=3\pi$ **2** $12+6\sqrt{3}$

3 (1) $3:2:4$ (2) 3   **4** 41.5 m

5 6 m   **6** $\dfrac{3+\sqrt{3}}{2}$ **7** $\sqrt{39}$ **8** $2\sqrt{2}$

9 (1) $\dfrac{1}{16}$ (2) $\dfrac{3}{5}$ **10** 30°   **11** 60°

12 $2\sqrt{15}$ cm

13 (1) $\angle A=90°$인 직각삼각형

(2) $a=b$인 이등변삼각형 또는 $\angle C=90°$인 직각삼각형

14 6   **15** $\dfrac{11}{4}$ **16** $10\sqrt{3}$

17 $r=\dfrac{\sqrt{3}}{3}$, $R=\dfrac{2\sqrt{3}}{3}$ **18** $21\sqrt{3}$ **19** 46

20 7   **21** 54

10. 등차수열 본문 p.182

예제

1 (1) 첫째항이 1이고 6씩 더하는 수열이다.
　　제5항: 25, 제7항: 37
　(2) 첫째항이 50이고 −1씩 곱하는 수열이다.
　　제5항: 5, 제7항: 5
　(3) 분모는 첫째항이 2이고 1씩 더하는 수열이고,
　　분자는 첫째항이 1이고 1씩 더하는 수열이다.
　　제5항: $\frac{5}{6}$, 제7항: $\frac{7}{8}$

2 (1) $a_n=n^3$ (2) $a_n=(n+1)(n+2)$
　(3) $a_n=(-1)^n \times n$
3 (1) $a_n=3n+2$ (2) $a_n=-3n+7$ (3) $a_n=-2n+9$
　(4) $a_n=4n-7$
4 (1) 첫째항: 2, 공차: 7 (2) 345 (3) 제81항
5 (1) $a_n=-4n+1$ (2) $a_n=6n-26$ 　6 제35항
7 75 　8 4, 6, 8 또는 8, 6, 4
9 (1) 168 (2) 215 　10 (1) 20 (2) $d=7, n=8$
11 945 　12 (1) 제7항 (2) 제6항, 72 (3) 제13항
13 (1) $a_n=6n-5$
　(2) $a_1=4, a_n=4n-1$ (단, $n \geq 2$) 　14 5300

유제

1 (1) 첫째항이 −3이고 −3씩 곱하는 수열이다.
　　제6항: 729, 제n항: $(-3)^n$
　(2) 각 항까지의 항의 개수보다 1만큼 작은 수의 제곱
　　수로 표현되는 수열이다.
　　제6항: 25, 제n항: $(n-1)^2$
　(3) 분모는 첫째항이 1이고 1씩 더하는 수열이고,
　　분자는 첫째항이 1이고 2씩 더하는 수열이다.
　　제6항: $\frac{11}{6}$, 제n항: $\frac{2n-1}{n}$
2 (1) $a_n=3+(-1)^n$ (2) $a_n=n \times 2^n$
　(3) $a_n=(-1)^{n+1} \times \frac{1}{n}$ (4) $a_n=\frac{1}{9}(10^n-1)$
3 (1) $a_n=-4n+6$ (2) $a_n=\frac{1}{2}n-1$
　(3) $a_n=\log 2^{n+1}$ (4) $a_n=-2n+3$
4 4 　5 100 　6 $a_n=8n-44$ 　7 54 　8 55
9 제15항 　10 66 　11 5 　12 6
13 $a=11, b=7, c=3$ 또는 $a=3, b=7, c=11$
14 18, 12, 6, 0 또는 0, 6, 12, 18 　15 360
16 −310 　17 4 　18 200
19 (1) 제12항, (2) 제11항, −363 (3) 제23항
20 (1) $a_n=4n-9$
　(2) $a_1=11, a_n=-2n+6$ (단, $n \geq 2$)
21 536 　22 60

11. 등비수열 본문 p.205

예제

1 (1) $a_n=2 \times 3^{n-1}$ (2) $a_n=-4 \times \left(-\frac{1}{2}\right)^{n-1}$
　(3) $a_n=27 \times \left(-\frac{1}{3}\right)^{n-1}$ (4) $a_n=\frac{1}{4} \times 2^{n-1}$
2 (1) 첫째항: 3, 공비: 2 (2) 96 (3) 제9항
3 (1) $a_n=2 \times 3^{n-1}$ (2) $a_n=2^{n-1}$ 　4 288 　5 0
6 제11항 　7 $\left(\frac{3}{4}\right)^{10}\sqrt{3}$
8 (1) $127(2+\sqrt{2})$ (2) $\frac{1}{2}(3^{n+1}-1)$ 　9 35
10 제11항
11 (1) $a_n=4 \times 5^{n-1}$ (2) $a_1=5, a_n=2^{n-1}$ (단, $n \geq 2$)
12 1248000원

유제

1 (1) $a_n=\left(\frac{3}{2}\right)^n$ (2) $a_n=(\sqrt{2}+1)(\sqrt{2}-1)^{n-1}$
　(3) $a_n=(\sqrt{2})^{n-2}$ (4) $a_n=2 \times (\sqrt{3})^{n-1}$
2 $a_n=2 \times (-3)^{n-1}$ 　3 512 　4 −96 　5 48
6 8 　7 6, 12, 24 또는 −6, 12, −24 　8 25
9 68 　10 제17항 　11 $1-\left(\frac{2}{3}\right)^{10}$
12 (1) 1023 (2) $\frac{5}{9}(1-0.1^n)$ (3) 2046
13 13 　14 제11항 　15 18 　16 2
17 $a_n=2 \times 3^{n-1}$ 　18 4343000원 　19 33만 원

12. 수열의 합 본문 p.222

예제

1 (1) 37 (2) 70 　2 (1) −6 (2) 10
3 (1) 380 (2) 1743
4 (1) $\frac{1}{6}n(2n^2+9n+1)$ (2) $n(2n+1)(7n+1)$
5 (1) 1330 (2) 5950
6 (1) $\frac{1}{6}n(n+1)(n+2)$ (2) 330
7 (1) 190 (2) 65 　8 (1) 3069 (2) $\frac{728}{243}$ (3) 373
9 (1) $\frac{5}{12}$ (2) $\frac{175}{132}$ 　10 (1) 4 (2) 2
11 (1) $\frac{n^2-n+2}{2}$ (2) $\frac{n^3+n}{2}$
　(3) $\frac{n(n+1)(n^2+n+2)}{8}$

12 $\begin{cases} \dfrac{1-(n+1)x^n+nx^{n+1}}{(1-x)^2} & (x \neq 1) \\[2mm] \dfrac{n(n+1)}{2} & (x=1) \end{cases}$

13 (1) $a_n=2n^2-3n+2$ (2) $S_n=\frac{4n^3-3n^2+5n}{6}$

유제

1 65 　2 8 　3 5 　4 69 　5 (1) 690 (2) 3035
6 55 　7 (1) $2(n+1)^2$ (2) $\frac{n(n+1)(2n+1)}{3}$
　(3) $-\frac{1}{6}n(n-1)(n+1)$
8 (1) 952 (2) 2200 (3) 1330 　9 $\frac{n(n+1)(n+2)}{6}$
10 (1) 150 (2) 425 　11 60 　12 524
13 1430 　14 (1) $\frac{511}{256}$ (2) 425 (3) 707
15 (1) $\frac{10}{31}$ (2) $\frac{175}{264}$ (3) $\frac{20}{11}$
16 (1) −8 (2) $\log\frac{101}{200}$ 　17 12
18 (1) $\frac{6}{11}$ (2) 제60항 　19 $3^{13}+3$
20 (1) $\frac{n^3+8n}{3}$ (2) $2^{n+1}+2n-2$

13. 수학적 귀납법 본문 p.243

예제

1 (1) $a_n=7n-6$ (2) $a_n=6n-4$
2 (1) $3 \times \left(\frac{1}{2}\right)^7$ (2) 3^6 　3 (1) 31 (2) $-\frac{31}{8}$ (3) $\frac{2}{9}$
4 91 　5 40 　6 (1) −1 (2) 3
7 (1) 1023 (2) $3^{10}-1$
8 (1) $a_n=2^n+3$ (2) $a_n=3^{n-1}+2$
9 (1) 120 (2) $a_{n+1}=\frac{1}{2}a_n+50$ 　10 수학의 샘 참조
11 수학의 샘 참조

유제

1 (1) $23 \cdot 2 -18$ 　2 100
3 (1) $a_n=\frac{3}{2} \times 2^{n-1}$ (2) $a_n=7 \times 2^{n-1}$
4 (1) 122 (2) 74 (3) 41 (4) $\frac{1}{17}$
5 1034 　6 3^{45} 　7 $\frac{21}{10}$ 　8 (1) $\frac{5}{2}$ (2) −3

9 49 　10 $\frac{1023}{512}$ 　11 (1) 512 (2) 10×3^9
12 $a_n=2^n+1$
13 (1) 1 (2) $a_{n+1}=a_n+n$ (단, $n \geq 2$)
14 수학의 샘 참조 　15 수학의 샘 참조

Memo

Memo